JN045209

# 富士ソフト創業者・野澤宏の
# 「変化の時を生き抜く」

# はじめに

『逃げない、諦めない』――。独立系最大手のソフト開発・システムインテグレーター大手、富士ソフトのモットー。創業者であり、現在取締役相談役として同社を引っ張る野澤宏氏が東証1部上場会社に育て上げ、独立系として成長発展してこられたのも、この精神に徹してきたからだと思う。NTTデータ、NRI（野村総合研究所）など通信大手、証券・シンクタンクをバックにしたシステム構築の大手もひしめく中、独立系として独自の地歩を築いた富士ソフトは2020年5月、創業50周年を迎えた。

コンピュータの草創期、野澤氏はプログラマーを育成する日本電子工学院（現日本工学院）の講師を務め、1970年（昭和45年）に起業。自動車やFA向けの組み込みソフトや業務系ソフトを主軸に成長。

その後、バイオ・医療関連の領域にも進出、ペーパーレス化での生産性向上を図る『more NOTE』、『PALRO』で知られるコミュニケーションのロボット開発と野澤氏は次々と新領域の開拓に挑戦。

今は環境が大きく変化し、想定外のリスクも多くなってきた。

創業から50年という時間軸の中でも、業界各社の浮き沈みはあり、市場から退出していった独立系の同業も少なくない。

なぜ、富士ソフトは独立系最大手の地位を構築できたのか？

「ソフトのものづくりに徹する」――。野澤氏はこの業界に参入して以来、この考えを終始一貫持ち続けてきた。

このことが、地に足をつけた経営の実践となり、世の中の好不況やＩＴ不況、リーマンショックなど危機をも乗り越えていく地力となった。

そして独立・独歩の精神。起業直後は資本も人員も少なく、仕事欲しさに、大手の取引先の下請けになるところも少なくないが、野澤氏は『自立』にこだわった。

システムづくりの注文を貰ったときに相手の言いなりになるのでなく、自分たちの設計思想を提案。これが功を奏していく。今で言う〝ソリューション〟づくりである。

課題はいつの時代も存在する。最近は想定外の事態に社会全体が襲われる。こういうときこそ、『逃げない、諦めない』精神の発揮のときである。

「この精神は、うちの社員たちが自らつくりあげてきたものです。わたしが社員から教えられたんです」と野澤氏。

氏の人生観・教育観は、「人は自ら育つ」というもの。変化の時代をどう生き抜くか――というテーマで富士ソフトの〝50年の歩み〟とこれから目指す方向を追ってみる。

なお、肩書は原則、取材当時のものとし、本文中の敬称は略させていただいた。

２０２１年5月吉日

『財界』主幹　村田博文

富士ソフト創業者・野澤宏の「変化の時を生き抜く」　目次

## 第2章 飛躍への助走

## 第5章　創業から50年、そして新たなスタート

# 第1章
# 志を立てる！

# 新領域を次々と開拓、ロボット開発からのバイオ・再生医療分野まで

人の輪を広げる——。富士ソフト創業者で会長・野澤宏の生き方、来し方を見ると、人と人とのつながりを大事にしていることがよくわかる。コンピュータ産業の揺籃期に大学で電子工学を学び、ソフトウェアの成長性に着目。起業の前に専門知識を習得しようと電子専門学校の門を叩くが、「先生にならないか」と逆に勧誘を受けたというエピソード。1967年（昭和42年）のことで、まだまだ産業界もコンピュータのトバ口にあった。野澤はここでコンピュータに関することは何でも吸収しようと猛勉強。横浜市内の団地にある自宅を本拠にスタートした小さな会社が社員数約1万2000人のわが国を代表するソフト開発会社に成長。「人と人のつながりでここまでやって来られました」という野澤の述懐。

## コロナ禍の中でのインターネット総会

コロナ禍の中でのインターネット総会——。2020年（令和2年）3月13日、東京都千代田区神田練塀町のJR秋葉原駅近くの超高層ビル、富士ソフト・秋葉原ビル（31階建て）で同社の第50回定

時株主総会が開かれた。

総会には、ＮＨＫや日本経済新聞など主要メディアの取材陣が押しかけていた。メディアの関心事は総会の決議事項ではなく、同社の株主がインターネットによる総会参加――というところにあった。

前年の19年末、中国の湖北省武漢市で感染症患者が確認された新型コロナウイルスの感染は瞬く間に世界に広がり、日本でも20年2月末、小・中学校の長期休校措置（5月6日までの休校）が全国規模で取られるなど緊張状態が続いていた。

富士ソフトの定時株主総会は３つの会場に約１５０人の株主が分散して出席。さらに11人がインターネット利用での参加となった。

同社はソフト開発、そしてシステムインテグレーターの会社らしく、以前からインターネット活用を株主総会運営にも取り入れてきていた。

第50回株主総会では日本で初めて、出席型のインターネット総会を実施した

2012年には、出席した株主の1人ひとりにiPad（アイパッド）を配布。画面で決算書の数字や図が見られるように工夫。議決権行使まで行い、賛成、反対の集計を即座に行うという仕組みを開発した。

会場に来られない株主もインターネット経由で株主総会を観ることができるようにしていたのだが、その利用も昨年までは限定的ではあった。

「インターネットの活用を前向きに検討してきていたんですが、昨年までは視聴するところまでしかやっていなかったんです」

創業者として、株主に敬意を払い、株主との対話にも注力してきた会長・野澤宏は、2020年は一歩踏み込んだ。

「事前に株主さんからインターネットで出席の申し込みをいただき、こちらから株主さんに株主番号とパスワードを通知して、総会当日は株主番号で参加してもらい、質問する場合は電話で議長（坂下智保社長）とやりとりしていただくという方式でやりました」

総会運営には、当然のことながら気をつかう。さらに多くの株主が会場へ足を運んだ場合に備えて、秋葉原ビル内には第2、第3、第4会場まで用意。

担当者は、「時期が時期だけに、コロナ感染防止対策として株主さん同士で密接にならないように、十分に間隔をあけて着席していただきました」と語る。

3月13日の総会では、株主から20近い質問が出され、経営陣との間で丁寧なやり取りが行われた。

所要時間は約1時間10分。

とにかく、コロナ禍には神経をつかった。「壇上の経営陣の方が密集しすぎるのでは、というので（笑）、壇上での参加人数は減らしました。それで質問を受ける現場の担当役員は別の部屋に待機させました」

コロナ禍は、テレワーク、在宅勤務を生み出し、わたしたちの生き方・働き方をも変えている。安倍晋三・首相（当時）は4月7日（火曜）に東京、大阪、福岡など7都府県に『緊急事態宣言』を打ち出し、これを受けて7都府県の知事は住民に不要不急の外出自粛を呼びかけ、感染拡大防止に努めた。

緊張感がみなぎる中での富士ソフトのインターネット総会に世間の耳目が集まったわけだが、いかに社員、株主など全ステークホルダーのセキュリティ（安心・安全）を守っていくかという同社の試みである。

ＩＴ企業としての技術を駆使した株主総会を心がけたのか？という質問をすると、東京生まれ、湘南育ちの野澤は粋人らしく、ユーモアを交えて語る。

「はい、一番恐れたのは質問中に、映像がバサっと落ちたりすることですね。時々、こういうケースがあるんですよ。インターネットの具合が悪くて遮断したりするというのを恐れていたんですが、それもなく、無事に株主総会が終了しました。何よりそのことに一番みんながホッとしています」

変化・変革の時代をいかに生き抜くか――。

野澤が『富士ソフトウエア研究所』を設立したのは1970年（昭和45年）のこと。先の太平洋戦争で日本が敗れたのは1945年（昭和20年）で、野澤が起業したのは敗戦から25年後のとき。

## 父の働く姿を見て

戦後の復興期、日本国民は誰もが懸命に働いた。それこそ東京など都市部は焼け野原からの再出発で、官民一体となって経済立国を目指していった。

父・喜平は戦後すぐ、東京・上野に木造2階建ての住居兼工場を構えて、数人の工員を抱え、ラジオの製造・販売の会社を営んでいた。

53年（昭和28年）、日本でテレビ放送がスタートしたときには、父・喜平もテレビ受像機を自ら製造、販売もしていた。父親は手先が器用で職人肌、アイデア豊富な人であった。

父・喜平が手掛けたテレビのブランドは『スタービジョン』。価格は50万円位で高かった。その頃の大学卒の初任給は1万円いくかいかないかという時代。今の貨幣価値だと1000万円以上で一般家庭には高嶺の花。

父・喜平は田園調布など所得の高い層が住む地域へ伝手（つて）を頼って売っていた。

間もなく、家電の大手資本がテレビの本格生産に乗り出し、父親はテレビ事業から撤退したが、このチャレンジング・スピリッツ（挑戦者魂）は息子の野澤宏に受け継がれてきている。

野澤が大学を卒業し、コンピュータ関連産業の成長性に着目し、ソフトウェアの領域で起業し、自らも「経営者になりたい」という志を固めていたのも、父親の生き様を目の当たりにし、それに触発された面もある。

親と子、先生と学生、また友人との縁、さらには仕事上での縁と人と人のつながりでこの社会は出来ている。

富士ソフトは創業以来のこの50年間、常に成長し続けてきた。もちろん、この間、石油ショック、バブル経済崩壊、リーマンショックと世界経済、および日本経済は幾度となく〝危機〟に遭遇してきた。

## ソフトのものづくりに徹する！

しかし、マクロ経済的には危機が訪れたとしても、なべて同社は成長軌道を描いてきた。

ＮＴＴデータやＮＲＩ（野村総合研究所）のように、大手通信会社（旧電電公社）系や大手証券系のようなシステム構築会社に伍して、富士ソフトが独立系企業として踏ん張り、成長軌道を描いてこられた理由とは何であろうか？

１９６０年代から70年代にかけての高度成長期にはいくつもの独立系のソフト開発・システム構

築会社が誕生。しかし、その中には途中で業績が振るわず、消えていった企業も少なくない。企業の栄枯盛衰はどの産業領域にもある。ソフト開発・システム構築の分野も同じである。

富士ソフトは今日、自動車やＦＡ（ファクトリー・オートメーション）分野で組み込み系ソフトや業務系ソフトで強さを発揮、そしてバイオや再生医療分野、さらにはコミュニケーションロボット『ＰＡＬＲＯ』（パルロ）開発など最先端分野で存在感を示すまでに成長。

この成長の土台、バックボーンとなっているのは、創業以来、野澤が持ち続けている『ソフトウェアメーカーとしてのものづくりに徹する』という基本姿勢である。

## 経済危機が巡る中で

先述したように、野澤が起業したのは１９７０年（昭和45年）のこと。

翌71年にはニクソン・ショックが起き、米国はドルと金の連関を断ち切り、通貨は変動相場制に突入。日本経済は円の切り上げ、つまり円高時代を迎えるトバロに立たされ、大いに揺さぶられた。

73年（昭和48年）には第1次石油ショックで石油価格は4倍に高騰、超インフレに日本は悩まされた。79年には第2次石油ショックが発生、追い打ちをかけられた。日本経済は大打撃を受けたのである。

しかし、コンピュータ関連、ことにソフトウェア・システム構築は産業の発展に必要不可欠のものとなっていた。

野澤自身も、「われわれの業界自体は基本的に成長発展の段階にあり、石油ショックのときもそんなに影響はなかったですね。円高の局面でも取引先が打撃を受け、一時的な落ち込みはありましたけれども、すぐ需要は回復してきましたね」と述懐する。

もちろん、業界がこうした経済危機に全く無傷であったわけではない。

バブル経済が崩壊したのは１９９０年代初め。以来、日本経済は失われた10年、失われた20年ともいわれ、金融界は不良債権を抱え込み、苦境に陥った。

金融系のシステム構築を担っていたソフト開発会社の中には経営不振に陥った所もある。

１９９６年（平成８年）に金融システム系に強かったＡＢＣの救済合併に同社は動き、一時期社名も『富士ソフトＡＢＣ』と名乗った経緯もある（富士ソフトに戻ったのは06年）。

## 日本電子工学院での人と人の出会いが……

疾風に勁草を知る――。どんな暴風雨が吹き荒れようとも、地中深く根を張った草は倒れない。人と人のつながりが、勁草のような会社を形成していく。
富士ソフトは、野澤が50年前、横浜市南西部の旭区にある左近山団地を本拠にして誕生。このとき社員として入社、というより馳せ参じたのは３人の若い社員。

野澤は大学（東京電機大学工学部電子工学科）を卒業後、コンピュータをもっと勉強したいと決め、東京・蒲田にある日本電子工学院（現日本工学院、学校法人片柳学園）に学生として入学しようとした。

大学の先輩が日本電子工学院で講師をしていたのである。

当時、プログラマーを養成する専門学校の走りとして、日本電子工学院は知られつつあった。先輩と面談すると、「もう学生募集は締め切った」と言われた。その後、先輩はいきなり、「どうかね、うちに先生として勤めないかね」と勧誘してきた。

びっくりさせられたのは野澤の方である。一瞬、何を言われているのか理解できずにいたが、相手は真剣な眼差しで、じっとこちらを見ている。

意を決して、「わかりました。お引き受けします」と野澤は答えた。学生で入学しようと思ったら、教える側に回れという勧めである。この先輩の〝講師への勧め〟がなかったら、野澤の人生はまた別のものになったかもしれない。

ともあれ、そこから、野澤の猛勉強が始まる。大学で一応の教養はつけてきたものの、コンピュータの世界で生きることを決断した者にとって、本格的な知識、ノウハウを身に着けねばと、〝真剣白刃の世界〟に立たされたわけである。

１９６７年（昭和42年）というと、まだコンピュータの草創期のことであった。

# 大学卒業後、いったん就職、そして専門学校の講師に

人生には、決定的な瞬間がある——。独立系で最大手のソフトメーカー・システムインテグレーターに成長した富士ソフトは50年前に呱々の声をあげた。創業者・野澤宏は27歳で起業するのだが、この道を選択しようという野澤の決断を固めさせる〝前段〟があった。野澤はソフトウェアの世界で生きるために、まずプログラマーになろうと、大学卒業後、コンピュータの専門学校・日本電子工学院の門を叩く。大学の先輩がそこで講師を務めており、「入学させてほしい」と依頼すると、「もう募集は締め切った」という返事。戸惑いの様子を見せる野澤に、「先生になったらどうだ」と突然の申し入れ。想定外の話だったが、野澤は了承し、専門学校の講師に就任。まさにコンピュータの揺籃期エピソードだが、ここで学会、産業界の多彩な人たちとの出会いがあって……。

## 大学卒業後、10カ月で就職先を辞めて……

これからの世の中の仕組みづくりにすべてコンピュータが関わってくる——。

今から半世紀前、東京電機大学工学部電子工学科を卒業、いったん通信建設会社大手に就職した

野澤宏は10カ月で退社。自らはコンピュータを動かすソフトウェアづくりの道に邁進しようと心に決めていた。

１９６６年（昭和41年）春、野澤は大学を卒業、通信建設で株式上場会社の大明電話工業に入社。同社は当時、日本電信電話公社（現・ＮＴＴ）から仕事を受注し、全国の通信網建設を手掛けていた。同社はその後、同業の東電通などと経営統合を果たし、現在、ミライト・ホールディングス（東証1部上場）へと発展している情報・通信建設の大手。

大学を卒業して、自活するにはと大明電話工業に入社。北海道での通信建設現場の出張を申し渡された。「給料以上に手当てが付いて待遇もよくて、楽しい仕事でしたが、やはりちょっと違うなあという感じがしていましてね」と野澤。

「自分の思う道を進もう」と大明電話工業を在籍10カ月で辞めることになり、野澤は帰京。

もっとも、野澤は大明電話工業の新入社員としての生活は楽しかったと述懐。

当時、電電公社に縁の深かった通信設備・機器類の建設では、日本通信建設（現・コムシスホールディングス）、協和電設（現・協和エクシオ）、そして大明電話工業（現・ミライト・ホールディングス）が上場3社として存在感を増していた。東京生まれ、湘南育ちの野澤にとって、出張先の北海道での働き場所はまさに新世界であった。

北海道での通信建設の拠点は2カ所。道東の根室とオホーツク沿岸の浜頓別（はまとんべつ）に工事事務所を置き、根室は海上通信の設備工事を担当。浜頓別は、経済成長に合わせて市外通話の容量を大きくし、さに高速化するため、高品質の通信回線を名寄から最北端の稚内まで敷設するということで、野澤もこの区間を何度も往来し、北海道の大自然に触れていった。

当時は、戦後最長といわれた『いざなぎ景気』（1965年＝昭和40年11月から、70年＝昭和45年7月までの57カ月間）が始まったばかり。前回の東京五輪が64年に開催され、五輪閉会後は反動で不景気に見舞われたが、日本経済は地力を付けてきていた。野澤が大学を卒業する頃は景気上昇局面にあった。

通信回線の敷設の仕事自体はどんなものだったのか？

「搬送回線といって、今でいう市外通話が効率よくできるようにするための回線を引くんです。線路を敷いただけでは電位が減衰してしまいます。それで小さな中継局を8カ所ぐらい開設していくという仕事でした」

線路を引いていく現場の仕事は別の班が担当し、野澤の所属する班は局の中の設備据え付けおよび調整の作業であった。

基地局の浜頓別では搬送回線の設備・機器の敷設を担当。

浜頓別といえば、名物・毛ガニでも知られる。その毛ガニが港に揚がると連絡が入り、勤務中でも先輩から、「君、買いに行ってくれないか」と言われ、買い出しに出かけた。

「湯がいたカニを新聞紙に包んで持って帰ると、みんながアグラをかいて車座になり、カッカッカッって食べ始める。美味かったですね（笑）」と楽しい思い出が残る仕事ではあった。

そうこうしながらも、野澤は元々、自分は起業し、経営者になるのだと大学時代から思い続けてきており、北海道滞在中もその気持ちが強くなっていた。

野澤がその頃の心境を語る。

「元々、商売人の倅(せがれ)ですからね。ただ、やるからにはどんな仕事がいいかなとずっと悩んでいました。それで出張で北海道に行った。ああいう場に置かれると、やたら本が読みたくなり、それで暇さえあれば本屋に行っておりました」

根室から道都・札幌へ出張の際なども本屋へ立ち寄った。

「札幌の大きな本屋さんに立ち寄ると、やはり目新しい本がたくさん目に付くわけです。それで見たことのない分野の本がありますし、生産管理って何だろうと。非常に興味を持ちましたね。今まで電子工学という物理的に堅い方の分野をやっていたんですが、生産管理といった学問があるんだというのも、この時期、初めて知りました」

## 関心が強いのは経営工学

今から50数年前のこと、当時は珍しい『生産管理』という言葉に出会い、それは時代の命題として大事なことだと、野澤は直観で感じ取っていた。

日本の産業界で最初に大型商用コンピュータを導入したのは東京証券取引所（現・日本取引所グループ）と野村證券（現・野村ホールディングス）とされる。１９５５年（昭和30年）のことだ。納入したのは当時、外資系コンピュータ会社の日本ユニバック（現在の日本ユニシスにつながる）。その頃から、日本国内は生産性向上運動が盛んになり、コンピュータを活用して生産性を上げる、つまり収益性を高めるという考えが産業界に浸透し始めていた。

野澤は、『生産管理』が自分のこれから進もうとする進路において重要なテーマになるということを直観で受け止めていた。

野澤の探究心は募り、経営に関する本が増えていった。「経営学というより、経営工学の領域ですね。何だろうと関心を持って、そういう本や資料を読み進めていくと、結構そちらの方が自分には向いているかなという感じが強くなってきて」

大学を卒業して、いったん会社勤めを始めて10カ月、自分の進路をはっきりさせようという気持ちが高まってきていた。自分に向いているのは経営工学なんだという思いである。

「自分は電子工学向きじゃないなあという感じ。大体において、電気というのは陰湿ですよ（笑）。機械なら挟まれれば痛いとなりますけど、電気というのは目に見えないし、うっかりしてよく感電していましたね（笑）」

こうして野澤は生産管理、インダストリアル・エンジニアリングなどの魅力にぐいぐいと引き寄せられていった。

## 日本電子工学院の講師として採用され……

大明電話工業を辞めてから、早速、新しい挑戦が始まった。

新聞の人材募集欄に、『SEプログラマー募集』という広告が掲載されるようになっていた。「試験さえ受かれば、あとは入社して仕事を覚えていけばいい」ということで数社の試験に応募。

試験会場に行くと、数人の採用なのに100人以上が押しかけていた。どこの会場も同じような状況。

会社の門を叩いても、未経験者ではすぐには開けてもらえない現実を思い知らされ、「これは本格的に勉強し直さなければ」と野澤は専門学校に入ろうと考えた。

コンピュータを動かすにはソフトウェアが必要。そのソフトウェアに精通し、システムを構築するプログラマーの養成が産業界で求められていた。そうした人材を養成する専門学校がその頃、設立され始めていた。

その専門学校で学ぼうとすれば、どこがいいのかと、野澤は大学の先輩に相談した。

先輩の名は藤本幸生(さちお)で、大学の2年先輩。藤本先輩とのつながりは趣味の音楽を通じて、大学時代からあり、このつながりがその後の野澤の人生を決定付けるものになる。

野澤は高校時代（神奈川県立平塚江南高校）から吹奏楽部に所属し、トランペット、チューバ、トロンボーン、そしてフルートなどに触れていた。

藤本は大学のバンドでバンドマスターを務めていた。先輩—後輩の間柄。その藤本は東京・蒲田にある日本電子工学院（現・日本工学院、学校法人片柳学園）で講師を務めていたのである。日本電子工学院はコンピュータ関係の技術者養成の専門学校としては先駆け。学校法人片柳学園として発展。今は、本拠・蒲田のＪＲ蒲田駅西口に超高層の近代的な校舎ビル群が建ち並ぶ。卒業生もＩＴやデジタル関係だけでなく、官庁、放送局、宇宙開発と幅広い分野で活躍し、専門学校のリーダー的存在。

また、同学園は東京・八王子市に広大なキャンパスを構え、東京工科大学を始め、各種専門学校群を擁する。

話を元に戻すと、野澤の大学時代の先輩・藤本は日本電子工学院に新設された電子計算機部

日本電子工学院の講師を務めていた時代の野澤宏氏（1967年頃）

門の講師として働いていた。

野澤は藤本に会い、「コンピュータをやりたいんです。学生として入学したい」と気持ちを伝えた。すると、藤本の口からは、つれない返事。「学生の入学は3月で締め切っていて、もう学期が始まっているので、今からの入学は無理だよ」というのである。野澤は落胆した。

そのとき、藤本が、「野澤君、ちょっと待ってくれ」と言って席を外した。しばらく待っていると、藤本の口から意外な言葉が返ってきた。

「君、ここの先生にならないか。ぜひ、そうしたらいい」という藤本。学校の幹部の了承を取っているらしく、藤本は先輩らしく、「先生になりなさいよ」と勧めてくれたのである。

予想外の勧めに、びっくりさせられた野澤だが、すぐ気を取り直して、「それなら、よろしくお願いします」と頭を下げた。その後、正式に面接を受けて採用が決まり、野澤の日本電子工学院での講師生活が始まった。

## 人とのつながりを大事に、そして決断

人生の転機をどう生かすか？　野澤の場合、父・喜平が電器の製造販売の事業を営み、その姿を見ていて、自分も独立し、「経営の道に進もう」という気持ちを学生時代から抱き続けていた。コンピュータの領域で生きようと決断し、初めて就職した会社を10カ月で辞めた。そして、コンピュー

タの専門学校で学び直そうとしたら、「締め切った」という返事。そこへ、「学生でなく、教える側に回れ」という勧誘。そこで野澤は大胆にも講師となり、「教えるからには」と猛勉強を始めた。

当時の専門学校には、一流企業のコンピュータ関連部署の部長、課長なども〝入学〟して夜間の授業に出席。また昼間の部には大学を卒業後、もっと現場の専門知識を習得しようと、専門学校に入り直す者もいた。

「講師のわたしと2、3歳しか違わない学生もいて、いろいろな人材が通っていた」と野澤。

コンピュータの草創期とあって、エピソードも多彩で面白い。

日本電子工学院は元々、テレビ技術の専門学校としてスタート。「六郷川（大田区）の土手の脇に2階建ての校舎があって、アンテナがやたら建っている小さな専門学校があったのを、よく東海道線の電車から見ていましたよ」と野澤。

専門学校もまた、コンピュータの技術者養成の大手の専門学校としても成長していた。

専門学校の講師の中には大学のコンピュータ関連の有力教授や書籍の著述者も名を連ねていた。

野澤はこうした人との交流を深め、最先端の知識を吸収。

今度は、講師と学生とのつながりが野澤の新しいステージづくりを支える原動力となろうとしていた。

## 講師生活2年目の1968年は一転してオペレーター不足時代に

「必死にコンピュータのことを勉強しましたね」――。大学を卒業して間もなくのこと、野澤は専門学校の日本電子工学院（現・日本工学院）の講師として採用された。当時25歳。担当した科目は、プログラミング言語教育とハードウェアの講座。本人も"教える側"に回ったということで、必死に勉強の日々。その日の講座が終われば、すぐ翌日の教材づくりに取りかかり、文字通り寝るヒマもないほどの多忙が続く。受講者の中には、大学を卒業ないしは中退して、コンピュータを学ぶために入学した者もいる。野澤とは2、3歳しか違わない者も多数いた。中には、上場企業のシステム担当者などの中堅幹部もいて、まさに多様性の世界。コンピュータ草創期とあって、いろいろな発見があった。

### 企業の部長、課長も受講生に

「先生をやったらどうかと言われて一瞬戸惑いましたが、これは良いチャンスだと思いました」

大学時代から、自分は起業し、「経営者になるんだ」という希望を持ち続けていた野澤。何事も前向きに捉え、チャレンジ精神がもともと旺盛だし、気持ちの切り替えも早かった。

「その当時は、必死になって勉強しましたね」と野澤は講師になりたての頃を振り返る。

講義の時間は夜間で、午後6時半から8時半までの2時間。受講生は約120人という大クラス。高校を卒業して入学してくる者もいれば、大学の学部を卒業して、コンピュータの知識を身に付けたいと考えて入学する者の世代が大半であった。まだコンピュータが珍しい時代、企業の部長、課長という肩書を持つ人たちも、夜間の講座に出席していた。

「コンピュータを会社に導入したけれども、まだよくわからないという部課長さんが夜間に来ていたんです」

講義が夜8時半に終わると、これら企業の部課長たちから、「先生、一杯どうですか」と声をかけられることもしばしば。

野澤は講義を終えると、翌日の講義の準備に取りかからなくてはいけない。受講者が理解しやすいようにと、教材にも一工夫、二工夫を積み重ねていった。

その教材の準備が終わると、指定された居酒屋に顔を出す。

すると、企業の部課長たちからは、「やあ先生、よく来てくれました」と歓迎を受ける。皆ひとまわりも、ふたまわりも年上の人たちばかり。そして、先ほどの講義でわからなかったことを野澤に質問するという段取り。

そこで、野澤はコンピュータに関連して、ソフトウェアのこと、プログラミング言語などについて、わかりやすく解説しながら、話を進めていく。

居酒屋が、講義の延長になったようなものだが、当時はみんなが燃えていた時代。まだ、コンピュータの走りの頃で、教える側が圧倒的に少ない、みんなが最新知識を得ようと必死であった。「こちらも教えるためには、いやあ勉強しました。初めての講義はやはり緊張しましたよ」と野澤は述懐。

野澤は最初、夜間生を教えていたわけだが、これがコンピュータ人脈を広げる元になった。どういうことかというと、講師陣には当時一流の先生たちが外部からやって来る。

「その頃、コンピュータの書籍を出しているような先生がいて、講義が始まる時間まで講師室で待っている。夜間ですから、事務の職員はもういなくて、わたしがお茶をいれて持っていくわけです。そのときに、いろいろ話し込みますし、これがまた勉強になりましたね。いろいろな話が聞けました」

SE(システムエンジニア)とは何か、システム設計に当たって、顧客企業とどう交渉を進めるのかといった具体的な話から、将来のコンピュータ産業図はどうなっていくのか――。こうした話を外部からやって来る講師陣と対話しながら、野澤は知識を吸収し、蓄えていった。

中には、コンサルタント会社から来ている講師もいて、「野澤さん、うちの会社に来ないか」と勧誘されたりもした。

## 教える側も、そして教えられる側も必死で

とにかく教える側も、教えられる側も必死に勉強していった時代。野澤も講義科目のポイントをわかりやすく伝えようと努力するから、受講生も熱心に受け止めてくれた。

「例えば、プログラミングの講座が始まるわけです。それまでは電子計算機の仕組みや概括的な話があるわけですが、プログラミングの段になると、いわゆるロジックがあります。それを組み立てるという話になり、皆さんが興味を持ち、面白がるんです」

居酒屋に誘ってくれる企業の部課長達も、「今日の講義はよかったですよ」と言ってくれる。

また、教室での講義でよく理解できなかった点を居酒屋で質問され、それに丁寧に答えていくと、「初めて、よくわかりました」と感謝されたりする。

教室以外の場所でも、みんな知識を吸収しようと懸命。

とにかく、時代は第1回東京五輪の後、本格的な高度成長時代を迎えようとしており、日本全体が燃えていた。

## 講師になって1年後には一転、求人難に

翌年（1968年＝昭和43年）は昼間の学生を担当することになった。

この昼間の学生たちが1年後に就職した頃から、また時代は大きく変わり始めた。

「大企業の人事部長の皆さんがわたしの所に菓子折りを持って訪ねてこられ、何とか優秀な卒業見込みの学生さんを紹介してくれませんか、と言ってくるようになったんです」

つい1年前までは、卒業生を就職させるのが大変だった。それが一転、産業界は情報処理の人材を積極的に採用し始めたのである。

プログラマーの人手不足——。このことは日本社会の課題にもなっていった。企業の求人活動も盛んになり、人材争奪戦の様相を濃くしていった。

マクロ的に見ても、68年（昭和43年）に日本のGNP（当時、国民総生産）が西ドイツ（当時、現ドイツ）を抜いて、米国に次ぐ自由世界第2位の経済大国になった年である。

産業界全体に生産性向上運動も繰り広げられ、コンピュータ導入の機運が高まっていった。「まさに時代が変わったんです。そんなに成績がよくなくてもいいですから、とにかく人柄のいい学生さんがいたら、ご紹介くださいと。そんな求人依頼をして来る会社もありましたね。これは、どんな仕事をしている会社かなと思って、訪ねていくと。いわゆるオペレーターの派遣会社さんなんですよ」

派遣ビジネスの誕生である。

## ＣＳＫ・大川功の登場

この頃、大阪でプログラマーの派遣ビジネスを始めたのが大川功。コンピューターサービス「ＣＳＫ」（現・ＳＣＳＫ）の創業者で、ベンチャービジネスの成功者として、産業界でも存在感を高めた人物。

「当社は１９７０年（昭和45年）の設立ですが、大川さんの創業は当社より2年くらい早いんですね。大川さんはいろいろな事業をやって失敗もし、大病も経験されていて、試練を乗り越えてきた人。思い切りのいい手を打つ経営者でしたね」

野澤は大川の経営手法とは違う道を歩いてきているが、その人情味や才人ぶりには共感する部分もあり、大川とは面識があった。大川は１９２６年（大正15年）生まれ。68年（昭和43年）、42歳のとき、「これから情報サービスの時代がやって来る」として、コンピューターサービス株式会社（ＣＳＫ）を設立。

大川はそれまで、大阪でタクシー会社を経営、そのタクシー会社を売却した資金でＣＳＫを設立したのである。

大川が始めた仕事はオペレーターの人材派遣業。大型コンピュータを導入した大企業に自分たちの技術者を派遣し、システム開発から保守などを請け負う。

「大川さんは事業開始の直後から、まだまだ小規模経営だったにもかかわらず、『１０００人募集』

といった大胆な手法で瞬く間に大企業に成長させていきましたね」と野澤も当時のＣＳＫの勢いを振り返る。

破天荒とも評された大川の経営手法だったが、ＣＳＫを東証１部上場企業に育て上げた実績。また、ベンチャー企業の育成、支援にも熱心で、後にはニュービジネス協議会（ＮＢＣ、現在は公益社団法人・日本ニュービジネス協議会連合会＝ＪＮＢ）の会長も務めた。

２００１年（平成13年）、大川は74歳で波乱の生涯を閉じたが、情報産業を情熱をもって引っ張っていった功績は大きい。

ＣＳＫは大川の逝去後、紆余曲折を経て、最終的には住友商事傘下に入り、ＳＣＳＫとして再出発し、現在、ＩＴサービスを提供している。

## オペレーター難の時代に

話を元に戻そう。野澤は講師を務めている間に、コンピュータのハード、ソフトの関連会社にかなりの知り合いもできた。そうした知り合いから、ある時から、「うちに卒業生を紹介してくれないか」という相談が舞い込むようになった。それも中途半端な数ではなかった。

「２期生の卒業まではほとんど求人がなくて、こちらから動いて就職先を探したものですが、翌年の卒業生には、一気に求人が殺到してきた。その数の多さに、こちらがびっくりさせられたほどでした」

1968年（昭和43年）頃のこと、「まさに世の中がブレイクしたという感じでした」と野澤は次のように語る。

「他の業界はよく知りませんが、コンピュータの業界にとっては、求人数が衝撃的に増えていったんですね。中には、『成績は悪くてもいいから』って、声をかけてくる会社もありました（笑）」

そうした会社の採用担当者から、「人物さえよければ」と言われたりして、野澤も教える側の身として、複雑な心境。

求人先は、「それは仕事をやらせていれば、一人前になりますよ」と言って、採用を増やしていった。時代は激しく変化し、大きく動こうとしていた。

## 社員3人で創業、横浜・左近山団地からスタート

「経営者になりたい」——。野澤は学生時代から、「自分も起業して「経営者の道を歩きたい」という希望を抱いてきた。

そして、野澤は起業の機は熟してきたと創業を決意。

70年（昭和45年）5月15日、『富士ソフトウエア研究所』を設立する。

人生に区切りをつける意味もあって、自分の誕生日に会社を起こしたいと設立日を『5月』にし

たのだが、自分の誕生日は42年（昭和17年）5月17日。満28歳になる、わずか2日前で満27歳での起業となった。

会社の住所は、横浜市内にある自宅。当時、野澤は横浜市南東部の旭区にある団地住まい。その一室を会社のオフィスとしたのである。

左近山（さこんやま）団地は67年（昭和42年）に日本住宅公団（現・都市再生機構＝UR）が中高層住宅建設を始め、翌年に入居を開始。

街区も9つあり、小学校と中学校が共に2つあるというほどの大規模団地。横浜駅からは相鉄線に乗って二俣川駅で下車してバスで通う。横浜駅からも左近山団地行きのバスが発着しており、比較的交通の便はいい。

会社設立時の社員数は野澤のほかに2人。2人とも、日本電子工学院の教え子である。この中の1人が、後に富士ソフト社長を務めた松倉

創業の地・左近山団地（神奈川県横浜市）

哲（あきら）である。野澤も、そして社員2人も共に燃えていた。

名は体を表す――。社名を『富士ソフトウエア研究所』としたのも、これから情報産業が盛んになっていくときに、ソフトウェアの研究で食える会社を創っていくぞとの思いを込めたからである。

社員2人の家では、「そんな小さな会社に就職するとは」と反対する親御さんもいた。

しかし、2人とも「自分の意志で決めた」と譲らず、入社後も朝から夜遅くまで仕事に没頭。創業当初から、仕事は面白いほど受注でき、成長への手応えを感じていった。

# 27歳で起業、専門学校の教え子2人が社員として入社

「経営者になりたい」——。若い頃から、こういう気持ちを抱え、折を見て起業したいと考えてきた野澤。専門学校・日本電子工学院（現・日本工学院）で3年間の講師生活を経て、1970年（昭和45年）5月、『富士ソフトウエア研究所』を設立。オフィスは横浜市内の自宅マンションの一室。そこに入社したのは、専門学校時代の教え子の2人。教え子の親たちの中には、「そんな出来たての小さな会社に……」と難色を示す人もいたが、2人とも、「これから自分たちが新しい仕事を創り出していく」と意気軒昂。文字通り、朝早くから夜遅くまで仕事に取り組み、泊まり込みの日も続いた。何より、ソフトウエア、システムづくりに懸ける情熱は創業者・野澤と社員一期生の2人に熱いものがあった。

## 両親の生き方を受けて、起業への思いも強く

自分はいつか、経営者として自立する——。こうした気持ちを、野澤は少年期から、おぼろげながらも持ち続けてきた。それには、父・野澤喜平（きへい）の生き様と、母・和嘉（わか）の人となりも影響している。

父・喜平は職人肌の手先の器用な人で、戦後すぐ、東京・上野でラジオの製造・販売業を営んでいた。当時、昭和通りに面した一角に、野澤一家は木造2階建ての住居兼工場を構えて住んでいた。戦前は、世田谷の上野毛や奥沢、そして神奈川県川崎市にも店舗を出すなど、手広く商売をしていた。社名は「富士無線」。

父・喜平は数人の工員と一緒にラジオ製造に精を出し、1953年（昭和28年）に日本で初めてのテレビ放送が流れたときには、何とテレビ受像機までつくったという。

商品名は、『スタービジョン』で、田園調布あたりの知り合いの富裕層に買ってもらったりしていた。価格は1台50万円位。当時の大卒初任給が1万円いくかいかないかという時代で、今だと1000万円位の価格。

テレビは文字通り、庶民には高嶺の花だったが、新しい事にチャレンジしていく気質が父・喜平にはあり、それは息子の野澤にも受け継がれている。

「父は非常に仕事に厳しい人でしたね。人に任せられず、徹頭徹尾自分でやるというタイプ。仕事への厳しさは、父に教えてもらった面が強いですね」

母・和嘉は北海道の函館の出身。北海道育ちらしく、おおらかな人となりで、「間違ったことが嫌いで、そういう面では非常に厳しい人でした」と野澤。

野澤は2人兄弟の次男。母・和嘉は子供たちへの接し方として、「頭ごなしに言うことは絶対になく、丁寧に説く」タイプ。だが、野澤が何かに取り組んだとき、「できない」とでも言ったら、即座に、「それはあなたの努力が足りないからです」とピシャリと言われたという。「正々堂々と生きなさい」――。北海道出身の母に、常にこう言われて野澤は幼少期を過ごしてきた。

経営者の道を進む、という決意は大学卒業後の行跡に出ている。まず、通信インフラ建設会社に就職するも10カ月で退職。

そして、これからはコンピュータの時代と見て、その領域を極めようと、まず専門学校の講師となり、その2年半後に起業する――という足取りに、「経営者になる」という強い思いが感じ取れる。

その野澤の思いを理解し、『富士ソフトウエア研究所』設立に馳せ参じたのが、教え子の2人であった。

## 教える側と教えられる側とのつながりで起業

教える側と教えられる側の双方の息がピタリと合う、あるいは思いが重なり合うというのは最高の至福であろう。その意味で、2人は野澤の同志と言っていい。

野澤が会社を起こしたとき、松倉哲(あきら)ら2人が正社員として入社。松倉は日本電子工学院の第6期生組で野澤の教え子。

松倉は1950年(昭和25年)生まれで野澤と行動を共にし、2001年、富士ソフトエービーシ(現・富士ソフト)社長に就任。04年の退任後は副会長を経て、富士ソフトが出資する東証コンピュータシステム社長を務めた人物。

野澤は日本電子工学院で第3期生(夜間)から6期生(昼間)までを担当。松倉は第6期生の中でも優秀な学生であった。

当時はコンピュータの草創期であり65年(昭和40年)頃、全国の大学で学園紛争が起き、それに嫌気がさした優秀な学生が専門学校に入学し直すという動きもあった。

また、実社会で昼間働きながら、夜間に開いている専門学校でコンピュータを勉強しようという熱意のある青年たちもいて、熱気ムンムンだった。

そうした若者のニーズに応えようと、日本電子工学院は第1期生は夜間制で募集、第2期生は昼間制、第3期生は夜間制でといった形で募集(奇数番号の期は夜間制)。松倉の所属する6期生は昼間制で受講。

「教える方も熱かったし、学生の方も熱かった。わたしの思いもどこかで伝わっていたのか、わたしが独立して学校を辞めるという話がどこかで漏れてたんじゃないでしょうか(笑)」

日本電子工学院を卒業し、上場会社に就職していたものの野澤が創業すると聞いて、そこを辞し、富士ソフトウエア研究所に入ってきたという者もいる。

浜文男は日本電子工学院の第4期生。卒業後、農薬大手の北興化学工業(東証1部上場)に入社、電子計算機部門に籍を置いていたが、野澤が起業して2年目に入社。

野澤が担当したクラスの学生数は最初約150人。それがしばらくして30人位減り、大体120

人で推移。

これだけの人数の面倒を見るというのは大変だが、野澤は学生たちとの対話や交流を大事にした。休日には山梨県にあった学校の寮に出かけたり、都内で料金の安い施設を借りてはクリスマス・パーティを開いたりしてきた。

コンピュータの最先端分野で仕事をしたいという情熱を持った者同士の交流。野澤の教え子の間では情報交換も行われ、野澤の親分肌とも相まって、つながりが深まっていったのだと思う。

「みんな勉強熱心でした。やはり当時は、コンピュータというのは最先端という意識をみんな持っていますからね」

こうして、『富士ソフトウエア研究所』は横浜・左近山団地の一室でスタート。1970年（昭和45年）5月15日の旗揚げ。野澤の誕生日（5月17日）の2日前で、28歳になる直前の27歳の時であった。

70年3月30日まで日本電子工学院の講師としての務めを果たし、翌4月1日からの事業立ち上げと慌ただしかった。

そうした慌ただしさの中で、仕事はあったのか？

「左近山団地の自室に2人の社員を預かって、翻訳の仕事がありましたので、とにかく、それをまずやっていこうと」

当時、米国製のコンピュータの取り扱い書やソフトウェア関連の技術書を翻訳して欲しいというニーズが強くあり、そうした関連の仕事が多くあった。

この仕事も多忙をきわめ、朝から晩まで翻訳作業は続いた。

「もう帰るのが面倒くさいと。そこで家内の手料理でうちでみんなワイワイやっていましたから、何か良い雰囲気だったんじゃないですか（笑）」

野澤は創業時の雰囲気をこう語り、「家内には随分苦労をかけましたが、まだ若かったですから。みんなも良かったんじゃないですかね、三食付きでね」と振り返る。

## 左近山団地を本社に、事務所を次々と移転

部屋がすぐ手狭になり、左近山団地に本社を置いたまま、3カ月後に東神奈川のマンションに事務所を移した。

この東神奈川の後、同じ横浜市内の新子安へ移転。間もなく、システム構築のSRA（現・SRAホールディングス、東証1部上場）との取引が始まり、SRA本社があった東京都中央区湊3丁目に移転。隅田川沿いにある、この湊3丁目の事務所も3カ月ほどで引き払い、今度は新宿区四谷3丁目、次いで北品川へと移した。

創業して2年位の間に10カ所ほど事務所を移転させた勘定。この慌ただしさの中に、次々と取引先を開拓していったという事務所移転の歴史である。

このときも、本社は横浜市の左近山団地に置いていた。「もう、しょっちゅう引っ越すので、いちいち登記を変えていたら大変ですから、登記上の本社は横浜の左近山団地に置いておきました。それで作業場所を転々としました」

今は横浜・桜木町、東京・秋葉原と錦糸町の3カ所の駅近くに超高層ビルを構え、関東圏22カ所を中心に全国42カ所にオフィス棟がある。海外も台湾、韓国、米シリコンバレー、そして上海とオフィスを構える富士ソフト。社員数も約1万2000人を数える。

わが国を代表する独立系のSIer（システムインテグレーター）として存在感を高める富士ソフトだが、50年前に創業した横浜・左近山団地は創業の原点。創業者である野澤にとって、思い入れの強い場所だ。

この左近山で社員3人からスタートした同社が

事務所の移転を繰り返しながら、成長を続けていった
（写真は1973年、東京・港区芝浦の田中電線ビルにて）

今日の姿にまで成長できた理由とは何か？

野澤は、「人と人のつながりが大きいんです」と答える。

「人とのつながりがあり、人にご紹介をいただいていく。大体、大企業の人は転勤していきますから。その方にご挨拶にお伺いしたりすると、必ず仕事がついてくると。だから、人の輪をどんどん広げていくことによって、仕事の輪も広がると」

もちろん、飛び込み営業も試みたが、概してうまくいかなかった。

例えば、日立製作所の秦野（神奈川県）にある工場。ここは日々の往来で何遍も通るものだから、工場正門に立つ守衛さんに、「外注課の方にちょっとお目にかかりたいんですが」と話しかけても、即座に拒否されて終わりだった。

「門前払いですね。あの堅い門を未だに覚えています」

神奈川県は県全体に工場が多く、大抵は駅から遠い所に位置する。創業当初の野澤たちは車で活動しており、気になる工場の前を通ると、思わず飛び込み営業をかけたくなる。しかし、大工場であればあるほど、守衛さんに門前払いされるのがオチだった。

松下通信工業（当時、現・パナソニックモバイルコミュニケーションズ）の本社工場は横浜・綱島にあった。ここもよく通る場所で、飛び込み営業をかけたが、駄目だった。

「結局、松下通工さんも人の伝手（つて）を頼って、取引を始めさせてもらいましたね」と野澤。

## 独立系として生き抜く！

創業当初、仕事の開拓は試行錯誤が続いたが、「お客様のためになるシステム開発を独立系としてやっていく」という思いや自負が強くあった。それが野澤たちの心の支えとなっていた。

その中で、『富士ソフトウエア研究所』の行く末を決める取引先が現れてきた。三菱電機鎌倉製作所（鎌倉市）がそれである。

三菱電機の工場が鎌倉にあり、「ここは距離的に少し遠いので狙い目だと思ったんです」と語る。

当時、コンピュータや情報通信分野で大きな存在だったのは富士通、日立製作所、ＮＥＣといったところ。それに続いて、東芝、三菱電機、沖電気工業といった勢力図。

「ええ、富士通さんの話もあったんですが、富士通さんはもう大組織で、コンピュータも売れていましたから、なかなかわれわれのような後発組は入れないし、入っても下請けになれと言われますのでね。それで三菱電機さんにたまたま大学時代の友人がいて、彼を頼って取引につなげていったんです」

大手の電機、情報通信会社の下請けになるのか、あるいは独立系でいくのか——その岐れ目になるのが、三菱電機鎌倉製作所との取引開始であった。

## 自らの手によるシステム設計、開発にこだわり、市場開拓を！

質のいい取引先、顧客を選ぶ――。『富士ソフトウエア研究所』（当時）を立ち上げた野澤はいい仕事を手掛けることを第一義に掲げ、市場開拓に乗り出した。その成果は、社員数が年々増えていくことにも現れてきた。社員数3人から出発し、創業8年目の1978年（昭和53年）には107人と100人を突破、それから5年後の83年には272人と増加。この頃は、売上高が毎年3割ずつ伸びるという高成長。当時のソフトウェア、システム業界には、いわゆる二次下請けも少なくなかった。同社もスタート当初はそこから出発したが、自分たちの設計思想でシステムを構築することを基本路線に据え、『一括受注』方式で臨んだ。創業5年目には、三菱電機鎌倉製作所から直接受注できる力をつけた。その市場開拓力とは――。

### 二次下請けにはならないとの思いを胸に

「社員数がなかなか100人に到達しないなと思ったけど、それを突破したら、後は急な右肩上がりで伸びていきましたね」

創業50周年を迎えた２０２０年現在、社員数は連結ベースで約1万４０００人（単体は約８０００人）。独立系システムインテグレーターとして最大手のポジションを構築するほどになった。

「そうですね、前向きに仕事をしていくことで、どんどん大きくなるという感じでして、こんなに大きくなるとは思わなかったと、大体みんなそう言いますよね。わたし自身もこんな大きい会社になるとは思わなかった（笑）」

質のいい仕事を手掛けていく――というのが創業以来の野澤の信念。とにかく売上高を増やそうと売上至上主義にはならないぞという気持ち。なるほど、会社を設立した当初は、社員にきちんと給与を支払うためにも、一定の仕事量が必要ということで、二次下請けの仕事も扱った。

しかし、それでは自分たちのシステム設計の思想と能力を育てにくい。相手方の企業の生産性を上げられる、つまり相手の経営改革につながるようなシステムを自らの手で構築していきたいという思いが野澤も社員にも強かった。そうした経営の基本軸を取引先が理解してくれ、それで成果が出ると、業界内での信用も蓄積されていく。

78年（昭和53年）の社員数が１０７人と１００人を突破すると、翌79年は１０４人。この頃は第2次石油ショックで日本の産業界全体が大打撃を受けるが、厳しい環境下で生産性を上げるにはとシステムへの投資需要は強かった。

同社の新人採用はこの間も増え続け、82年に１９３人、翌83年には２７２人と増え続けた。「とにかく、良いお客様に恵まれた」という野澤の述懐。

会社設立5年目には三菱電機鎌倉製作所（神奈川県鎌倉市）との取引を開始することができた。

三菱電機鎌倉製作所からは一番大きな仕事をもらったが、このほか日立製作所、NEC（日本電気）、松下通信工業（現パナソニックモバイルコミュニケーションズ）、ソニーなどからも受注していった。

有力企業との取引を目指して、何とか攻略しようと、飛び込み営業にも挑戦したが、一切それは通用しなかった。システム構築の世界はそれほど甘くないことも分かった。

そこで、野澤が取った戦略が伝手を活用するということ。つまり、人と人のつながりを大事に、一度仕事をさせてもらい、その仕事の質を相手に判断してもらおうというやり方である。

しかし、その際、単純に人伝手に頼るということでは駄目。二次下請けではなく、自分たちが直接、"一括受注"するからには、こういうシステムを自力開発していきますという提案能力と実行力がなければいけない。

今で言うソリューション提案型の営業である。

## 三菱電機鎌倉製作所との取引にこぎつけて……

なぜ、最初の大口の取引先が三菱電機だったのか？

「富士通さんの話もあったんですが、富士通さんはすでにコンピューターメーカーの大手でしたから、なかなかわれわれのような後発組は入れなかった。三菱電機さんにはわたしの大学時代の友人がいまして、それで彼を通して営業をかけてみたんです」

その大学の友人は三菱電機のドキュメント（記録）関係のマニュアル製作の部署に配属されていて、まずその友人に会って話をすると、上司の課長が動いてくれた。その課長は、当時、ソフトウェア開発の現場担当を務めていた課長の坂本につないでくれたのだった。

ソフトウェア開発の部署で最初に対応してくれた担当者は、「子会社に菱電エンジニアリングがあるので、そこを通して来てくれないか」という話。それを野澤は突っぱねて、「三菱電機さんと直に取引をさせてくれませんか」と粘り強く交渉。

普通なら、そこで、「じゃあ、この話はなかったことにしましょう」と相手から切り返されるのがオチだが、三菱電機鎌倉製作所の場合は違った。

野澤の「一括受注方式で仕事をしたい」という意気込みを評価してくれたのが坂本。

「ええ、坂本さんは非常に論理的で合理的な判断をされる方でしたね」と野澤は、坂本との出会いがあったからこそ、三菱電機鎌倉製作所との取引が実現したと感謝する。

聞けば、坂本は優秀なソフトエンジニアを手元に集めたいという考えを持っていたのだという。野澤が初めて会った際、坂本は野澤が差し出した『富士ソフトウエア研究所』の名刺を見て、「社名がいいよね」と言ってくれた。この一言が、野澤の印象にずっと残っているという。

「何となく、技術の高さを感じてくれたんじゃないですか。ところが、実際に付き合ってみると、『何だ、まだ出来立てで、学生を集めてやっている会社か』と言われたけれどもね（笑）。でも、『そこはそこで、うちが育てていくから。とにかく良い人材を派遣してくれ』と、こういう話でしたね」

## 徹夜作業も続く中、みんなが張り切って……

会社設立から5年後の三菱電機鎌倉製作所との出会い。それは、野澤たちにとって、その後の成長を促すスプリングボードとなった。しかも、大企業と直に取引ができるということで、野澤も力が入った。

JR根岸線の大船駅前にビルを借りて鎌倉営業所を開設。そこを拠点に三菱電機鎌倉製作所に社員を派遣し、システムづくりに精を出した。システムづくりを担うプログラマーは不足し、作業は徹夜になることもしばしば。三菱電機本体は当時労働組合が強い事情もあって、正社員を夜遅くまで働かせることができなかった。まして徹夜作業なんて論外。

午後5時になると、三菱電機社員は一部の技術者を除いて帰宅の途につく。残るのは富士ソフトウエア研究所の社員と他の外注会社の社員たちであった。「わたしも時々、現場へ行って一緒に徹夜したことがありました」と野澤は振り返る。

夜間の仕事となるが、富士ソフトウエア研究所の社員たちは三菱電機社員たちが帰った後、コンピュータを駆使してシステムの設計、構築ができるのが楽しくて仕様がなく、深夜作業も苦にならなかった。

今なら考えられないことだが、月に１００時間、２００時間残業するということも珍しくはなかった。創業から50年経った２０２０年の今、生き方・働き方改革が産業界全般で進む。19年4月から働き方改革関連法案が施行され、時間外労働（残業時間）にも規制がかけられた。時間外労働について、法律上の上限は原則として月45時間、年３６０時間と決められている。

当時は高度成長期、みんなが〝明日の成長〟を実現しようと、目標に向かって燃えていた。「ええ、社員も楽しかったし、それに給料がドサッと入ってくるから、良かった良かったと言っていましたね。アフターファイブ（午後5時以降）を家でと言ったって何もすることはないしというわけで、ワイワイみんなと作業していることの楽しさ。それが青春時代の良き思い出だと、みんなが言っていますね」

三菱電機鎌倉製作所との取引は大きな転機となった（写真は開設当時の鎌倉営業所）

野澤自身も若く、時に深夜作業にも参加。ともに青春時代を謳歌した。

## システム開発の時間は「夜間」しかない中で……

残業も多く、時に朝帰りという仕事をやってくることができたのも、三菱電機との直取引をこちらが望み、それを先方が認めてくれたことで、立派な仕事で成果を上げたいという気持ちが全員にあったからである。「やはり天下の三菱電機さんが直でやってくれたというお話ですから、嬉しかった」と野澤。

しかし、いい話ばかりではない。中には、社員に心無い言葉を投げつける人もいた。一緒に仕事をしようという人と、あからさまに嫌な顔をする人もいた。しかし、そんな事でへこたれるわけにはいかない。

とにかくコンピュータを扱うことが好きな者の集まり。コンピュータが大型で高価だった時代。今のように一人一台が当たり前ではなかった。昼間は発注元の社員と一緒にコンピュータを使い、自分たちが自由に使えるのは夜間しかなかったという事情もある。

残業時間が多いというのも、そうした産業構造になっていたからだ。このとき、野澤たちに迷いはなかったのか？「こんな徹夜ばかりの仕事でこのまま続けていけるものかと、随分迷ったこともありました」と野澤は正直に語るが、やはり1つひとつ仕事をこなしていくときの達成感には何とも言えないものがあった。

下請けの仕事ではなく、自分たちの設計・開発でシステムづくりを進められるという仕事の達成感。それは、「やれば出来る」という誇りに似た気持ちに昇華していった。

もちろん、残業時間が長く、夜間も働くという環境にいたたまれず、辞めていく社員もいた。しかし、それは少数派。大半は、新しい仕事へチャレンジしていこうという者で占めた。

辞めていった者の中には、しばらくしてまた戻ってくる人もいた。「ええ、出戻り組もうちは少なくないんですよ。グループ会社に戻る社員も多いし、中には本体の常務にまでなった者もいます」

全体にソフト業界は人材の流動性が高い。人材のスカウト合戦も活発だ。野澤は、「うちは出入り自由の看板を掲げています」とユーモアを交えて語る。

## 徹夜明けに芝浦埠頭で、車運転の練習中に……

創業期にはエピソードも多い。例によって朝帰りが続いていた頃。創業時の第1号社員・松倉哲と野澤は午前5時頃、港区芝浦の作業場所を車で退社。松倉はその頃無免許で、いつも野澤が運転していた。「練習してみるか」と芝浦埠頭に向かった。

初心者の松倉は広い埠頭でジグザグ走り回る。これが挙動不審だとして、パトカーが近寄り、「何をやっているんだ」という尋問を受けた。いきなり、警察署に野澤ともども〝連行〟されて、事情聴取を受けた。聞けば、埠頭の倉庫の裏でヤクザの出入りがあって、署員が警戒しているところへ、ジグザグ運転の車が突然現れたというので、連行したのだという。「1時間位で無罪放免になりましたが、もうこんな事するなよと説教されましてね」

埠頭は道路ではないから、道路交通法上の無免許運転にはならないが、埠頭を練習場には使わないでくれという警察署の説教であった。二人とも徹夜明けの出来事だったので本当に辛かった。ちなみに、松倉はその出来事からずっと後になって免許を取得。「なぜか、彼はあんまり運転しなかったみたいです」と野澤は語る。

みんな生き抜くのに懸命な時代であった。

# 第2章
# 飛躍への助走

## 大手の下請けにはならない――。一括請負方式を提案

大手の系列には入らない――。自立・自助の精神に徹しようというのが野澤の創業以来の考え。その意味では、創業当時に台頭していたエンジニアの派遣業務は取引相手方のシステム開発作業の要員不足を補うために行われていた。一括請負と異なり、比較的リスクのないビジネスである。しかしこのままの業態では将来がない。やはり一括請負のできる会社にしたいと考えていた。ところが、創業5年目に転機が訪れた。三菱電機鎌倉製作所との取引で、〝一括受注〟による請負方式で受注できたのである。自分たちの力でシステム構築の見積もりから、作業工程の運営、そして納期管理までを一括して行う〝一括請負方式〟。当時、社員数はまだ40人程度の小所帯だったが、この受注は野澤たちの大いなる自信となって……。

### 「系列に入らないか」という誘いを断って……

質の良い仕事を追求していく――。良い仕事をするには、良い仕事を任せてくれる取引先に選ばれなければならないから、真剣勝負の連続。

とはいえ、創業期は当然のことながら、資金力も人材の層も厚くない。とにかく、仕事を取ってこなければならない。

いきおい、大手電機・通信機メーカーにエンジニアを派遣して仕事をこなす派遣業務も手掛けざるを得なかった。

また、大手のシステムメーカーからは、「うちの系列に入らないか」という誘いも随分あった。

「系列に入れという話はもちろん、いろいろな所からありました」と野澤も語る。確かに、大手の系列に入る、つまり下請けになると、仕事も回して貰えるし、収入も一定程度は安定する。

しかし、誘いを受けるたびに、「いや、うちはなりません。それは勘弁してください」と野澤は断り続けた。野澤は断った理由を次のように語る。

「系列だったら、他社の仕事を伸ばせないじゃないですか。子会社になったら、その会社の仕事しかできない。いろいろな取引先と創造的な仕事をしたいと思って起業したのですからね」

起業したからには、大きく羽ばたきたい。近い将来には、株式も上場したいという気持ちが強かった。社員たちも大きな夢を持って入社してきた。大手の系列に入るのでは、そうした夢をふさぐことにもなる。

第一、系列に入ると、親会社から天下りがどんどん入ってくることも予想される。

「ええ、仕事は取れて、楽かもしれないけれども、つまらないですよね。何のために起業したのかということにもなる。経営者として全然おもしろくないし、上場もできなくなります」

とにかく、自立・自助の精神で仕事を創っていこうということ。取引先が作るシステムの設計思想に従って仕事をする派遣業にとどまっていては、ソフト製作業務の健全な発展は期待できないという野澤の考え。

野澤がこだわったのは、『一括請負』という方式である。

一括請負による受託――。システム構築の見積もりから、作業工程の運営、そして納期管理まで一括して行うというやり方。今でこそ、工数管理の原点になっているが、当時としては画期的な考え方であった。

創業してしばらくは、仕事を取るため、エンジニアの派遣業務も手掛けたが、それは野澤の本意ではなかった。

一括請負による受託にこだわった理由とは何か？

「当時の派遣業務は、まず仕事に対する責任がないので、働いた時間だけ売上が上がる、というビジネスである。派遣業務しかできないというのでは、仕事の上で限度がある。それは何かというと、お客さんも仕事全体を正確に見積もる必要もない。われわれも見積もれない。例えば、こういう作業があるんだけれども、この作業を進めていく上で日に何人を割り当てるかという見積もりもあやふやになりがち。お客さんもわれわれも共にそうなりがちです。だから、仕事に来てもらった分だけ払うということだし、われわれとしてはその頭数の作業が終わるまで払ってもらうというのが派遣業務なんですよ」

仕事が始まる前に、きちんとした見積もりを立て、工程管理も正確に行い、責任のある質の良い仕事をしていくことが大事という野澤の考え。

## ソフト産業を取り上げるメディアの風潮に……

当時はコンピュータ領域でハード、ソフト共に勃興期。ハードでは巨人・米ＩＢＭはじめ、海外の巨大コンピュータメーカーに対抗するため、国を挙げて国産メーカーの育成を図った。富士通、ＮＥＣ、日立製作所など国産勢との競争がメディアでもよく取り上げられていた。

また、ソフト産業も成長期で、ハード各社自体もシステム事業の育成に力を入れていた。

当時の新聞や雑誌も、こうした時代の風潮に呼応して、「ソフト産業は将来性の高い業界」といった記事をしきりに書いていた。

ただ、そのソフト産業の実態はというと、当時は珍しい派遣業の代表業種みたいに取り上げられていた。野澤の言う『工数管理』的な分析はなく、流行現象として捉えられているだけであった。

こういう形で、ソフト産業があいまいなまま推移していけば、逆に将来性はないという危惧を野澤は持っていた。

「一括受注による受託体制をつくり上げたい」――。野澤には、日増しにこの思いが募っていったのである。

なぜ、野澤はこうまでして、一括請負にこだわったのか？

## 工数管理という手法でウィンウィンの関係を

『工数管理』――。ある作業に対して、どの位の工数がかかるのかを把握するためのもの。要するに、生産性を上げられているのかどうかを見極める重要な仕事である。システム構築で生産性を上げるためには、この工数管理が不可欠で、それには一括受注で受託していくのが最適と考えてきた。

「工数というのは、その作業に要した人数と時間数の積です。それで、ＳＥ（システムエンジニア）がどの位の工数をかけているのかということで、細かく分単位で工数を取り始めた。それが、当社における工数管理の原点になっているんです」

工数管理で、１時間に１人のＳＥがこなせる作業量を把握していく。

「ええ、この製品をつくるのに、どういうエンジニアが何時間関わったのかというのは、工数管理で必ず必要な数字。いわゆる生産管理でも必要な数字なんです」

野澤が続ける。

「あとはその他コストを加えて、それがどういう構造になっているかというのが、生産管理なんです。ソフト業で生産管理の仕組みを採り入れたということです」

企業経営には生産性の向上が重要で、それには生産管理が前提となる。その生産管理に不可欠な手法として、野澤は工数管理を自らの経営にいち早く取り込んでいったのである。

野澤は社員数を年々増やしていったが、他のソフト会社から応募してくる者も増加。

こうした途中入社のエンジニアたちも、「こうやって細かく工数を付けさせられる会社は初めて」という感想を述べるなど、工数管理は珍しかったのである。

「そういう人が多かったですね。多分、同業の他の会社はやっていなかったと思います。大体、大まかに月に何人位かかるかはやるけれども、時間単位で工数管理をして、仕事を見積もるということはなかった」

当時の状況を、野澤はこう振り返る。

## 鎌倉営業所で初めて導入

三菱電機鎌倉製作所の仕事を引き受けるためにつくったのが鎌倉営業所（75年＝昭和50年）。

鎌倉営業所ができた当初は、社員たちは三菱電機鎌倉製作所での仕事を終えると、営業所へ帰ってくる。社員たちは勤務時間を付けて報告。つまり、勤務時間で作業料を請求する仕組みであった。

しかし、それをやっている内に、人によって全然生産性が違うということが分かってきた。「仕事をゆったりやれば、作業時間がその分だけ長くなる。その分くれるというのですからね。それで派遣って損ですよという言い方を三菱電機側にしていったんです」と野澤。このことは、人の評価をどう行うかという大事なこととも絡まってくる。

「だから、作業時間の中で、生産性が全然違うわけですよ。一生懸命やってくれる優秀な人と、いくらやってもできない人がいるとして、同じ1時間（の額）を貰えるわけですからね。まあ、派遣のやり方でもちょっと差はありますけれどもね」

こうして、野澤は一括受注の方式へ自分たちのビジネスモデルを磨き上げていった。

## 取引先もプラスになる共存共栄の方式で

従来のやり方、つまり作業時間をモノサシにして、こちらが報酬を請求するやり方はあなた方にとって損ですよ―という謳い文句で、野澤たちは営業活動を開始していった。

相手も関心を示して話に乗ってきた。ただ、慎重である。話には乗ってはくるのだが、「目の前でやってもらわないと不安だ」とすぐにはやり方を変えてこない。

工数管理で割り振った時間が来たので、これで終了しますといっても、現実には取引先は判断がつかないのである。

「今までの時間とどう違うのか」と聞かれ、それを実証してみせなければならなかった。

仕事の成果を、「目の前で見せてくれ」という取引先の心情も痛いほど分かった。

しかし、そこは、粘り強く、工数管理のメリットをあげ、説明していった。

「だから、なかなか信用・信頼を勝ち得るというのは大変でした。取引先には、何遍も検証してもらった。こちらは今までの時間と比較してもらい、これだけ生産性が違うでしょうというところを証明していかなければならないわけですから」とその頃の苦労を野澤は語る。

システムづくりでは時々トラブルに見舞われたりする。そうしたトラブル解決には、受注前に想定していた時間と比べて、2倍も3倍もかかることがある。

こうした時には、一括受注だと不利になる。トラブル解決に要した費用は料金として相手に請求できないからである。

トラブルが発生するということはもちろん、仕事を受注する側のこちらにもリスクがあるわけだ

1977年の鎌倉営業所の様子（当時の社内報に掲載されていた写真）

が、取引先も同じリスクを抱えているということ。

「トラブルの原因というのは、見積もりミス、管理ミスなど大体、7要件に絞られます。そうしたことを分析し、7要件に備えると、うまくマネジメントできると。そういうことを社員と一緒に考えていきましたね」

こうしたトラブルも体験することで、知見やノウハウを蓄積させていった。

例えば、仕事を受託する場合の見積もり段階で、取引先から、「大体、『3人月』でできるじゃないか」といわれ、そのまま引き受けたとする。結果、赤字になったとする。どう、赤字分を処理するのか？

「最初のうちは、先方も、『うちの責任もあるかも分からないから、半分は持つよ』と言ってくれたりします」

その赤字折半負担をいつまでも続けていて甘えるわけにはいかない。そこで、次の仕事では交渉の主導権をこちらが取る。

「今度も『3人月』とおっしゃいますが、今までの実績で見ると、『4・何人月』かかっていますから、これ位でやりたいと思いますが、どうですか」といった具合に、取引先との見積もり交渉で解決していった具合。

派遣業務から、一括受注による受託方式への切り換えといっても、一筋縄ではいかなかった。「はい、とにかく発注者のお客様のご理解がないとできないやり方ですからね。簡単にできると思われてもできないです」と野澤は語る。

野澤の受託方式を最初に受け入れてくれたのが、三菱電機鎌倉製作所でソフトウェア開発の現場担当課長の坂本巍志であった。

人と人のつながりは互いの信頼を高め、共に成長していくきっかけとなった。

# 一括請負方式は、今日のアマゾンとの提携にもつながって……

一括請負方式はリスク管理をどう進めるかということにもつながる——。受注する際、その仕事のリスクを勘案し、工数管理を徹底していくという経営手法。工数管理の徹底は、受注価格の見積もりの精度向上に貢献し、発注サイドからの信頼を高めることにもつながった。事実、一括請負方式は、「仕事を拡大させていくうえで有効な手段になりましたね」と野澤も語る。「真面目にきちんと成果を出していれば、仕事は溢れるほど来る」という野澤の認識。同時にシステム作りは、発注側と受注側の間でトラブルに陥ることもしばしばで、「不満の多い業界」でもある。仕事を進めていくうえで、リスクをどう読み、そのリスクをどう管理していくか。「納得性を持った対応が大事」と野澤は強調する。

## 発注者側と受注者側でウィンウィンの関係を

「一括請負方式というやり方は、仕事を拡大させていくうえで有効な手段になりましたね」

創業して間もなく、一括請負方式を取り入れた野澤は顧客（システムの発注者）の反応も良いと手応えを感じ取っていた。

当時、同業大手では派遣業務でどんどん成長しているところもあり、同業からは「野澤さんは一括、一括というけれど、一括請負で上手くいった会社はないよ」という声も寄せられた。

そのような声を聞くたびに、「自分のやり方に間違いはない。必ず業績を伸ばしてみせるぞ」と心中ひそかに闘志を燃やしていった。

確かに、創業時（1970年＝昭和45年）は試練が続いた。当時は顧客も受注者も技術的に未熟な者が多く、全体のシステムがつかめないまま受発注が行われていた。仕事を受注した後、システムの仕様変更を何度も何度も平気でしてくる顧客もいた。

システムの発注者が仕事全体を正確に見積もれない、受注する側も見積もりが曖昧なまま進める。作業を進めながら仕様を固める、といったことも多くあった。また、何度も仕様変更をするにも手間ヒマがかかって非効率だという気持ちに双方共になってしまう。顧客からすれば、受注者に仕事をしてもらった分を支払い、受注側は仕事に関わった人数分の費用を請求するという派遣業務に傾きがちな面もあった。

システム作りにはいろいろな変動要因が絡まり、費用が当初の見積もりよりハネ上がることもある。そうしたリスク要因を抱える仕事だ。それでも野澤は一括請負にこだわった。

その仕事に関するリスク要因にはどんなものがあるのかを含めて、リスク分析が不可欠。

「そうしたリスクをどうはじくか、何割ぐらいのリスク要因を乗せたらいいのかということですね。その計数には、発注会社の社風、それから担当者の人となりや意向なども絡んできますからね」

実際、当初の見積もりの金額より、倍の費用がかかったこともある。このような手痛い経験を踏まえて、リスク軽減のためのいろいろなノウハウも蓄積していった。

例えば、最初、契約書を交わすときに、3カ月ないしは半年後の状況を見て、「見積もり書を再提出させてください」と要請し、相手方にも納得してもらったこともある。

改めて、見積もり書の再提出をする――というのはまさに紳士協定のようなもの。

受注側からすれば、きめ細かな取引で、制作コスト上昇というリスクを軽減することになるが、発注者側から見れば、「予算が確定しない」ということで嫌がられた。

これでは取引も1回きりに終わり、長続きしない。

顧客が嫌がることもなく、かつ、システム制作側も筋道の通った仕事ができるようにするには、どうしたらいいのか。野澤はこういう問題意識に基づき、思案に思案を重ねた。

その結果、きちんとした工数管理を取り入れた一括請負方式を組み立てていったという経緯である。システム構築の見積もりから、作業工程の運営、そして納期管理までを受注者側が主体的に行う一括請負方式である。

一括請負のポイントは、システム作りにどれ位の工数がかかるのかを把握するため工数管理が大切な要素だということ。工数管理を徹底することでシステム開発の生産性向上につなげられる。

そのことはコストを下げることになり、発注者側にもメリットが出てくるし、受注者側にとっても、見積もりの精度が高まるということにもなる。

一括請負方式は、ウィンウィンの関係構築にもつなげられるという野澤の考え方である。

## ＩＴ業界で働く人達の気質はみな「真面目」

創業から50年――。この間、システム作りにおいて、発注者側と受注する側との間でいろいろな意見のぶつかり合い、やり取りがあった。

双方の真剣なやり取りが積み重ねられて、システム業界の歴史が形成されていった。

システム構築は元来、産業界の生産性向上に資するためのものであり、その仕事に関わる人たちの資質としては、『真面目』、『誠実』、そして『忍耐力』などの要因が挙げられる。

「ええ、本来、ＩＴ業界の人って、悪い人はいないですよ。真面目に仕事に取り組む人が多いです。だから、お客様の担当者も真剣に対応してくれますし、そもそもシステムづくりが失敗されては困るんです。自分の出世にも影響してしまいますからね」

野澤は、ＩＴ業界で働く人たちの気質についてこう語る。

システム作りで、富士ソフトの直接の顧客といえば、富士通や三菱電機、ＮＥＣといった電機・通信機メーカーだったが、その先に実はエンドユーザーがいる。

エンドユーザーといえば、各領域に拡がる企業群である。電機・通信機メーカーはコンピュータメーカーでもあった。当然のことながら、こうしたメーカー側にはＩＴの専門家、プロフェッショナルな人材がいるわけだが、エンドユーザーになると、その当時はプロフェッショナルな人材は少なかった。

事実、エンドユーザーの企業でシステム担当の責任者になった役員陣の間でも、「僕は今まで経理をやっていて、コンピュータやシステムの事は分からないんだ」と口にする人が少なくなかった。部下にはシステム関係に詳しいスタッフもいるのだが、担当役員や部長クラスの幹部陣は、「コンピュータのことは分からない」と公然と口にする時代でもあった。

創業した１９７０年代、そして80年代のエンドユーザーの実情はそんなものであった。

## 金融界はじめ、システム構築へのニーズは高く

しかし、この頃は、例えば金融界ではオンライン化への積極投資が続いた時期。

銀行は１９６０年代半ばには、第1次オンラインシステムの構築に乗り出し、本店と支店のオンラインによる結合で勘定系システムの構築が主だった。

70年代半ばには第2次オンラインシステムの構築。金融機関同士をオンラインで接続し、ＡＴＭ（現金自動預け払い機）などで預金者が利用しやすいシステムに移行していった。

そして80年代半ばになると、経営情報の集約、営業管理など情報系システムの構築が盛んになっていく。預金者の利便性向上や銀行業務の生産性向上の掛け声の下、大規模なシステム投資が続いた。「ええ、銀行さんも1つのシステムを作ったと思うと、もう次のテーマや課題が登場してきていて、どんどんシステム構築へのニーズが生まれていましたからね。世の中全体がそういうことですから、仕事に困ることはなかった」

それこそ、真面目に仕事に取組み、成果を出していれば、「仕事は溢れるほど来る」という状況であった。

しかし、そうした状況に甘えてはいられなかった。既述したように、システム作りには発注者と受注者の間で幾度となくやり取りがある。発注者側からは、いろいろと要望、そして不満が寄せられ、「不満の多い業界なんですよ」と野澤は語る。中には、「システム屋の言うことは信用できない」といった罵詈雑言を浴びせられる同業者もいた。

そういうときは、受注する側が当初、安く見積もりを出して、先方からの問い合わせに、「大丈夫、できますから」と答えて、システム作りに乗り出すというケース。

そうすると、開発途中から、雲行きがあやしくなる。そうすると、発注側も、「できるできると良い事を言っていて、結局はできない、この実態は何なんだ」と堪忍袋の緒が切れることになる。

「注文欲しさに安くしておきますから、というのが一番危険だなあと、そうしたケースを見て思いましたね。今は、とっくにそういう時代ではなくなっていますがね」と野澤。

そうした同業者のケースを野澤は何回も見てきた。それだけに、「説明の付く、きちっと納得性を持った対応をしていくことが大事。そうすると仕事がどんどん舞い込んでくるようになった」と野澤は述懐する。

## 創業以来、1つひとつステップを踏んで……

人生もそうだが、会社も誕生してから、幾つもの段階（ステップ）を踏んで、成長・発展していく。「そういう段階を一歩一歩経て、会社としての足腰が強くなった」という野澤の思い。

野澤は創業のとき、システムインテグレーターとして、「元請になる」と心に決めた。すでにシステム構築を手がけていた同業の傘下に入ると、仕事は安定的に下りてくるかもしれないが、経営の自由度がないのが嫌であった。2次下請といった立場では、システムの仕様書の中身もストレートにこちらに伝わってこないし、引き受け料金の交渉もできないので窮屈な思いをするという野澤の考えであった。

しかし、現実は厳しい。元請になって、直接、IT大手と取引するまでになれても幾つものステップを踏まねばならなかった。

現に、顧客は当時、東証1部上場の大企業ばかり。そうした大企業は創業したばかりの小さなシステム会社と直接取引をするようなことは避けようとしていた。

野澤が〝顧客〟というのは、システム開発作業を発注してくれる大手のIT企業。そのIT大手の下に、先輩のシステム開発会社がある。

野澤が起業した当初は、仕事がないから、先輩のシステム会社から仕事を回してもらったりした。そうしたときでも、野澤は、「しっかりした仕事をやり抜こう」と心に決め、「2次下請的な仕事はしたくない」という気持ちで臨んだ。

先輩の企業から仕事を回してもらいながら、元請のポジションを獲得すべく行動していった。当時、IT大手からスピンアウトしてシステム会社をつくろうとする人たちがかなりいたが、大半は上手くいかなかった。

発注側と受注側がなれ合いで仕事を出し、逆に仕事をもらったりするのだが、ちゃんとしたシステム作りの仕事はそうしたなれ合いでこなせるほど単純ではない。

そうすると、どうなるか？

「ヘルプ、ヘルプ（助けてくれ）の信号がわれわれの所に来るんです。そのときは引き受けて、その会社の下請をやることになるんですが、次の段階ではもうわれわれが直取引を始めるわけです」

仕事の見積もりをしっかりやり、一括請負で工数管理を含めてと、発注先に話をすると、相手も、「直取引でやろう」と取引口座を開いてくれる。

大手IT企業をスピンアウトしたシステム会社のトップからは、発注企業の担当者を指して、「彼はわたしの元部下だったから……」という言葉も聞かされた。だから、「何でわたしが彼に頭を下げないといけないのか」ということで、仕様変更の際などは話がもめて物事が進まない場面にも遭遇。本来、ビジネスは合理的なものでなければならないのだが、時にこうした情実的な要素も入りこんでくる。こうした日本的情緒のただよう場面も経験しながら、富士ソフトは成長・発展していった。「はい、こういう綾を縫って、切り抜けて来られたところが良かったのかなあと思います」という野澤の述懐。

筋道を立てて仕事をする。そうすることで仕事のロスをなくし、相手も納得してくれる。元請として生きる。そして工数管理を導入した一括請負で仕事をしていくというやり方は今日も有効に生きる。

## アマゾンとの提携も

今、富士ソフトはそのソリューションの提案力を生かして、外資系のマイクロソフトやＡＷＳ（アマゾン・ウェブ・サービス）などのサービスを企業に導入するサポートビジネスをも展開している。

アマゾンはｅコマース（ネット通販）の最大手で、商品を自分たちの市場に並べて販売するのが主要業務だが、そこで培ったクラウドコンピューティング技術を生かしてシステムインフラを提供するのがＡＷＳ（アマゾン・ウェブ・サービス）。

世界をまたにかける巨大ＩＴプラットフォーマーが各国で企業にサービスを提供するためには、

現地でパートナーとなるＳＩｅｒの力が必要。

そのサポートをしているのが富士ソフトである。アマゾンとの提携は10年以上にも及ぶ。もともと富士ソフトはインターネットが普及し始めた頃ネット上でｅコマース事業を手がけたこともある。ＩＴ関連の商品を扱うオンラインショップを立ち上げ、97年には〝ＱＱＱ（サンキュー）ショップ〟とＱＱＱカードシステム〟を開発して、ネット上で商品を販売し、小口現金の決済をやるなど、今で言う電子コマース、電子マネーを手がけていた。そうしたノウハウを持っていたから、アマゾンとの提携も容易に進んだとも言える。

新しい分野を切りひらくという挑戦者魂が新しい有力企業との提携にもつながっていく。

富士ソフトはかつて「ＱＱＱショップ」というｅコマース事業を手掛けていた。この経験は現在のアマゾンとの提携にも生きている

富士ソフトはAWSを企業に導入するサポートビジネスを展開している
（写真は2018年の記者会見）

# 株式公開はあの『ブラック・マンデー』の直後、危機の中を生き抜く！

懸命に働き、会社も成長していった。創業から17年経った1987年（昭和62年）、野澤は富士ソフトの株式を上場することを決断。上場日は11月12日（木曜日）と予定された。ところが、この直前に何とあの世界的な株価暴落の『ブラック・マンデー』が発生。主幹事の証券会社からは、「株価下落が続く状況ではとても上場は無理」と言われたが、野澤は上場を実行すると心に決め、翌月の12月に株式上場を果たす。顧客（取引先）、社員、地域社会、そして株主のすべてのステークホルダー（利害関係者）に報いるという決意を上場後はさらに固めていくこととなる。経営を取り巻くリスクに思いを致し、それをどう読み、経営のカジ取りをどう進めていくかという基本型は今も変わらない。

## 石油ショックなどの危機も乗り越えて成長

野澤が創業したのは1970年（昭和45年）5月15日。それまで日本全体は、『いざなぎ景気』で好景気に包まれていた。

第1回東京五輪が開催されたのは64年（昭和39年）秋。五輪閉会後に不景気が来るが、景気は間もなく上向き、五輪の翌年（65年＝昭和40年）11月から、『いざなぎ景気』が始まり、それは70年7月まで続く。57カ月もの好景気であった。

ただ、70年代は世界的には波瀾続き。71年（昭和46年）にはドル・ショックが起き、通貨も固定相場制から変動相場制へ移行。日本の通貨・円は切り上げの方向へ、逆にドルは切り下げの方向へ揺れていく。

73年（昭和48年）秋には第1次石油ショックが起きた。イスラエルとアラブ諸国の対峙は第1次中東戦争（48年）以来続いていたが、第4次中東戦争が73年秋に勃発。イスラエルとエジプト・シリア連合軍の戦争である。

イスラエル優勢のまま国連（国際連合）の調停で戦乱はおさまったが、アラブ側は石油価格引き上げという戦略に打って出た。これで石油価格が4倍に高騰。日・米・欧の先進国経済は深刻な打撃を受けた。

続けて79年（昭和54年）には第2次石油ショックが起き、世界経済は揺さぶられた。

この激動の70年代、国内のコンピュータやシステム業界はどうだったのか？

「やはり石油ショックのときは、一瞬、仕事が半年分ぐらい消えてしまいました。しかし、コンピュータやＩＴ産業に対する根強い需要はあり、力強さは感じていました」

マクロ経済は打撃を受けたものの、日本経済自体も変革期を迎えていた。石油価格高騰は製造業や輸出産業に大変な打撃を与えたわけだが、そうした危機を乗り切るためにも、各企業は経営効率を上げなければならないという課題に直面。

つまり、企業経営も旧来のやり方を見直し、無駄を省かなければならない。もっといえば、積極的に生産性を上げて、押し寄せる危機を乗り越えなければいけないという考えが強まった。

その生産性向上に、各企業は製造、販売、企画、経理、そして総務といった各部門でシステム化を推し進めていった。

## 世界的株式暴落のブラック・マンデー

しかし、その野澤が一瞬ヒヤッとさせられる世界の証券危機・金融危機が1つあった。

1987年（昭和62年10月19日（月曜日）、ニューヨーク株式市場で起きた『ブラック・マンデー』（暗黒の月曜日）である。

87年10月19日、ニューヨーク株式市場の終値が前週末比22・6％の暴落となった。

この株価暴落は瞬く間に世界に伝播し、日本、香港、欧州の各株式市場で株価が急落。世界中に先行き不透明感が広がり、投資家の間で不安感が広まった。

肝腎の米国は経常赤字、財政赤字のいわゆる〝2つの赤字〟を抱え、ドルは通貨不安の震源となっていた。

ブラック・マンデーの2年前、85年には『プラザ合意』で日・米・欧の先進国首脳の間で、通貨価値の調整が行われた。

このとき、日本円は対ドルで215円から、3カ月後に200円となり、程なく120円とほぼ倍近く円高となった。製造業は輸出にブレーキがかかり、生産拠点を海外へ移転し、〝産業空洞化〟という現象を招いた。

先進主要7カ国は87年2月、パリでG7を開催し、各国首脳が協調して金利引き下げなどへ動こうと謳ったが、当時の西ドイツ（現・ドイツ）は「インフレ懸念を抑えるため」として、むしろ金利引き上げに動いた。

世界の投資家は、先進国首脳の足並みが揃っていない―として、先行きに不安を持ち始めた。こうした微妙な空気の下で、同年10月19日、『ブラック・マンデー』が起きたのである。

実は、この翌月の11月12日、野澤は富士ソフト（当時の社名は富士ソフトウェア）の株式を上場させる予定だった。創業から17年、会社も成長し、社員数も631人と増え、事業規模も拡大。株式を公開し、さらに新しいステップを踏み出そうという矢先に、何と『ブラック・マンデー』にぶつかってしまったのである。

## 念願の上場予定日がブラック・マンデーで延期……

「野澤さん、このような株式暴落の状況では上場は難しい。ちょっと様子を見てくれませんかね」

――。野澤は幹事証券の野村證券幹部から、株式上場を延期しようという〝助言〟を受けた。

ブラック・マンデーの影響は証券界や金融界のみならず、実体経済にも及び始めていた。

事実、富士ソフトの取引先からも「発注の時期を少し延ばしたい」という意向を示すところも出始めていた。

野澤自身も、取引先の発注について、「一瞬、引けたかな」という感じを持っていた。

だから、野村證券幹部の〝助言〟も分からなくはなかった。

しかし、自分たちの仕事は、このショックに立ち向かうからこそ、意義があると考え、少しほとぼりが冷めたら、「早く上場を果たしたい」という意向を相手に伝えたのである。

そのとき、株式公開の場として考えたのは、日本証券業協会が新進企業、ベンチャー企業を掘り起こすために開設した『店頭登録市場』である。

この店頭登録市場は今、ジャスダックとして成長、発展してきている。日本取引所グループの東京証券取引所内で、マザーズと共に新興企業の登龍門となっている。

87年12月に店頭登録を果たした後、92年10月、東証2部に株式を上場、そして98年9月東証1部に上場という足取り。

東証2部、1部への上場も、経営環境としては厳しい時期であった。東証2部上場の92年といえば、バブル経済が崩壊した直後で、金融機関の不良債権問題で日本経済が揺れ始めたとき。

「ドル・ショック、石油ショックはそれほど業界に深刻な影響はなかったんですが、一番影響を受けたのはバブル崩壊のとき。エンドユーザーのお客様がそのときは相当な打撃を受けていましたからね」と野澤も当時の状況をこう振り返る。

しかし、こういうアゲインストの風が吹くときに、富士ソフトは東証2部上場を果たす。店頭登録から5年足らずのことである。

そして98年9月、東証1部に上場。2部上場から約6年後のことだが、この時期は日本の有力銀行、証券会社が次々と経営破綻に追い込まれていった時期と重なり合う。97年末には山一證券が破綻、北海道拓殖銀行も破綻、証券・銀行界に激震が走った。翌98年には日本長期信用銀行（現・新生銀行）、日本債券信用銀行（現・あおぞら銀行）が相次いで破綻し、金融危機が続いた。

こうした厳しい環境のときに、産業界の若い芽として、富士ソフトは市場に名乗りをあげたのである。

## 危機や試練を乗り切ってこそ……

ブラック・マンデーで損失を蒙った投資家も少なくなかったし、企業経営者の中にも投資を控えるなど萎縮する動きも見られた。

そういう中、富士ソフトは、ブラック・マンデーの2カ月後に株式公開を実行。

このとき、幹事証券会社からは、「おそらく、証券市場は1カ月後には正常な機能を取り戻しますが、市場が混乱したあとだけに、御社の公開値も安くなると思いますので……」と暗に店頭登録の大幅延期を申し入れてきた。

幹事証券会社としては、親切心でそう〝助言〟してきたわけだが、野澤の考えは違った。

野澤は心中密かに、「こういう試練のときこそ踏ん張っていかねば」と株式公開をそう遅らせずに実行する決意を固めた。

そして、市場の動揺がおさまり次第、公開に踏み切ると関係先に自分の気持ちを伝えていった。心中では「逆風に立ち向かってこそ……」という思いであった。

そして、ついに株式公開の日が来た。公開価格は2240円。

当初の予定から比べると、「かなり安い公開価格

1987年12月1日に日本証券業協会で行った記者発表の様子。
右手奥に見えるのが野澤氏

になりました」と野澤も語る。しかし、ものは考えようである。

株式公開の時点で株価が安ければ、あとは自分たちの努力次第である。懸命に仕事に打ち込み業績をよくしていくことはできる。その努力の成果を投資家が評価してくれれば、株価は上がる。そうやって、自分たちの株式を買ってくれた投資家に報いることは可能だという野澤の思い。

ブラック・マンデーによる傷跡がまだ完全には癒えない同年12月、同社は株式公開に踏み切った。87年12月1日の初値は公開価格を上回る２６００円。その時の心境について、野澤が答える。

「ええ、市場の株価はかなり低い水準になったところでの株式公開でしたからね。ただ、そういう状況だと、わたしたちの会社に投資していただく投資家さんの負担もそれだけ軽くなる。しかし、その後、株価が上昇していけば、投資家の方々にも喜んでもらえるのではないかと思ったんです。そのかわり、当社が市場から調達する金額は少なくなりましたけれどもね」

野澤自身は若い頃から、株式投資にもかなり関心があり、投資も実践してきた。

それだけに、投資家の気持ちもよく分かるつもりだし、株式公開時も「当社の株主さんに損をさせたくないという思いで行動しました」と野澤は語る。

## なぜ、業績見通しは〝保守的〟なのか？

「投資家の皆さんを傷つけないというのがわたしのポリシーです」と野澤は話す。

現実の世の中はリスクだらけである。そのリスクの存在を勘案しながら、経営のカジ取りを進めていく。常に世の中の動向に目配り、気配りしながら、ここぞという勝機を見つければ、果敢に打って出る。

フロンティア（新領域）への挑戦という気概を保持しながら、リスクの有無を判断していくという基本姿勢。

そういう考えは例えば、会社の業績発表ではどう表れるのかというと、「できるだけ控えめで見込みを発表します。しかし絶対にその数字は割らないということです」と野澤。

アナリストたちは、これまでの富士ソフトの実績から見て、「低過ぎるのではないか」と質問を浴びせてくる。

野澤は社長時代にそういう質問を受けたとき、「諸般の情勢を見て、そういう見通しです」と〝保守的〟な数値を出してきた。そのかわり、その数値を絶対に下回らないようにする。ということは上振れする可能性、余地はあるということ。

「気宇壮大なことを言って、実現できないことを言うのは却ってマイナス。そうやって実現しないときは、反動も大きいし、却ってアナリストや投資家の信頼を失うことにもなります」という野澤の考え方である。

約束したことは必ず守る——という信念は不変だ。

# 初志貫徹――。逆境・危機のときに生き抜く道を追求

アゲインストの風が吹くときに株式を公開――。店頭登録をしたときは１９８７年(昭和62年)、あの株式大暴落の『ブラック・マンデー』(暗黒の月曜日)が起きた年。江戸っ子で中小企業の経営者だった父親からは、「お前の会社なんて、ひっくり返ったって上場企業なんかになれねえんだから」と言われてきた野澤。経営環境が厳しいときに、株式公開を果たし、経営者として、１つの手応えを感じ取っていた。その5年後の92年10月、東証２部上場を果たす。このときはバブル経済崩壊後で日本経済全体が揺れているとき。さらにその6年後の98年9月、東証１部に上場。同年は日本長期信用銀行など大手行が破綻するなど金融危機のとき。経済全体が『危機』といわれる状況下で、野澤は１つひとつ階段を昇っていった。

## 株主のことを考えればこそ

『ブラック・マンデー』は１９８７年(昭和62年)10月19日、ダウ工業株30種平均で22・６％もの大暴落となり、世界中を震撼させた。日本や欧州にも株下落は飛び火し、市場は動揺した。

あの世界大恐慌（1929年＝昭和4年）の引き金となったニューヨーク株式市場の株暴落、『ブラック・サーズデー』（暗黒の木曜日）になぞらえて、『ブラック・マンデー』と呼ばれた。

このような状況だから、株式市場は混乱した。厳しい審査を経て上場を予定していた会社はどこも、「市場が落ち着くまで上場を見合わせるように」となり、やむを得ず上場を延期したり中断せざるを得なかった。主幹事証券会社も「しばらく様子を見ましょう」と言ってくる。

「ええ、市場全体が混乱しているので仕方がないですね。安値で上場したくないのが本音ですよね。しかし、株価はともかく、うちは市場が落ち着き次第、上場優先でやってもらいたいと主幹事証券会社に伝えたんです」

上場する会社のトップ、特に自ら興した創業経営者にとって、一般的にキャピタルゲインが大きいことは大変な魅力。創業以来の苦労や踏ん張りが株式上場で数字となって認められたという思いを実感できるからである。

市場関係者も、そうした新規参入組の登場は大歓迎。そこで、上場時には〝ちょうちん買い〟も加わって、ご祝儀相場となることも少なくない。上場のときは株価も高く付き、その後落ちるというケースが少なくないですね。わたしは、株主さんには絶対迷惑をかけたくないという思いがありまして、一番安いときでいいよという話をしたんです。まず投資家に買っていただいて、それからわれわれは会社の業績を上げる努力をする。結果的に株価が上がるだろうということです。それで、株主様には迷惑をかけない、傷付けないという考えでやったんです」

株主の立場を配慮したうえで、当初予定日より1カ月後の12月に上場が許され、株式公開が実現できた。市場の混乱の中にも、そういう野澤の考えがあったからである。

『危機』といわれる状況下、経営トップとしてどう振る舞うかということ。危機と聞いて、萎縮して、その場から退却するのではなく、物事の本質を見極めようという思考である。

また、危機の中だからこそ、物事の本質が見えてくるということでもある。

同社が東証2部に上場したのは株式公開から5年後の92年（平成4年）10月、このときもバブル経済崩壊後で日本経済全体は株と不動産の下落で大変揺れていたとき。

東証1部上場は2部上場から6年後の98年（平成10年）9月のこと。その年は日本長期信用銀行、日本債券信用銀行が相次いで経営破綻し、金融危機の真っ只中。

経営環境が厳しいときこそ、自分たちのやるべき事をしっかりと果たしていこうという野澤の信念が株式公開の道筋として結実していると言っていい。

店頭登録から東証2部、そして東証1部と一歩一歩、着実に道を切りひらいて前進していくという姿勢。

## 挑戦者魂の形成には父・喜平の生きざまも影響

挑戦していく――。野澤の創業者人生は、父・喜平の生きざまの影響を受けて、その人となりが形成されてきていると思う。

父・喜平は前述の通り、創意工夫の人で、戦後すぐラジオ製造を手掛け、販売していた。職人気質でものづくりの才のある人物。１９５３年（昭和28年）にわが国で初めてテレビ放送が開始されるや、テレビ受像機まで製作し、世田谷や大田、目黒区など城南地区の富裕層向けに売り込む才も発揮するなど行動力の持ち主でもあった。

「親父は私の能力を信じない、もうクソミソでしたからね。企業経営といったって、お前にできるわけはないんだから、早いところどこかの下請けになったらどうか、といった話ばかりしてましてね」

父親としては、わが子の将来を思って、安定した取引ができれば上々だという考えだったのであろう。だから、上場会社にするという野澤の考えについても、「そう簡単にできるわけない」というのが口ぐせであった。

その父・喜平が、野澤が富士ソフトウエア研究所を創業（70年＝昭和45年）したとき、出資してくれた。設立時の資本金３００万円をまるまる出してくれたのである。

創業期はカネがないし、父親の出資は大変に嬉しかった。ただ、出資の際、父・喜平は長男の徹を「社長にしなさい」と言ってきた。

「父は明治の男でしたし、家族関係も大事にしていましたからね。それで兄貴を社長にしろ、と言ってきたんです」

野澤は次男で、長男の徹は写真系の大学を出て写真を現像する会社に勤めていた。

それで、野澤が富士ソフトウエア研究所を設立したとき、写真現像会社を辞めて、経営に加わったという経緯。

当初、兄・徹が代表取締役で経理や総務を担当、野澤は取締役で技術、営業を担当という形でスタート。実質的に、野澤が社長なのだが、創業当初はとにかく注文を取ってこなければならず、多忙な日々。野澤にとっても、そうした形の方がありがたかった。

しかし、しばらくすると、「営業上もやりにくい所が出てきて、わたしが社長になったんです」と野澤。

創業から3年後の73年（昭和48年）、野澤が代表取締役社長に就任。名実共にトップとして会社経営を切り盛りすることになった。この頃になると、営業で踏ん張ったこともあり、受注も増え、仕事も拡大していった。

「経営規模が大きくなると、今度は親

右から、父・喜平氏、野澤氏、兄・徹氏

父が手伝うと言い出しましてね（笑）。自分も経営者だったわけですからね。主に経理をやり、銀行回りも自分がやるというので、そうした仕事をやってもらったんです」

「だんだん会社の規模が大きくなり、それにつれて、借金も大きくなってきましたから、親としても心配なんですね。そのときに、お前の能力はそんなにあるわけじゃないんだからと。親は子どものことを思っているのか、子どもへの不信感なんでしょうね。子どもを信頼していないというか（笑）」と野澤はその頃のことを述懐。

どこかの下請けになって、「安定した事業をやれ」という父親。しかし、野澤本人には、「仕事はまだまだ伸ばせる」という自信があったし、実際、そうなっていった。

野澤は心の中で、「下請けにはならず、システム作りの元請けになるのだ」という気持ちをますます強くしていった。

もっとも、最初から、元請けの仕事ができるわけではない。創業時は、元請けの企業から仕事をもらい、実力を付けて、業界内での信用も貯えていくという形で、仕事に打ち込んだ。

技術者の派遣業務もやらざるを得なかったのも、既述した通りである。

取引先の大手電機メーカーの引き合いに、設計から開発、そして納品までの一連の作業のコストを自分たちで吟味、計算して提案するという一括請負方式を野澤は目標にしてきた。

あくまでも、経営の自主性にこだわり、リスクを取るという覚悟で真剣勝負に挑んできたということ。

しかし、物事はそう一直線にいかない。その一括請負型を目指すものの、顧客企業への常駐型の仕事も少なくなく、派遣業務の受注も大きく膨らんでいた。

そうした仕事のあや（綾）も体験しながら、1つひとつステップを踏んでいったということである。

## 初志を貫いてこそ！

独立系のシステム会社として生き抜くぞ——という、思いは創業当初から変わらない。

初志貫徹、何事にも挑戦していくぞという野澤の思いが、創業して17年後の株式公開の場面でも表れたということである。

常に、リスクはあり、自然災害や経済波瀾も含めて、危機は常に存在する。そうした危機が襲来したとき、その混沌の中を生き抜く道とは何かを

1987年の上場時、証券会社主催の会社説明会に登壇する野澤氏

熟慮して判断する。

『ブラック・マンデー』(87年10月)で市場全体の株価が下落し、公開(上場)を大幅延期した企業も少なくない中、野澤は2カ月後の87年12月に公開に踏み切った。

株価下落で自社のキャピタルゲインは当初予定額より減少するにせよ、投資家はその分、負担が軽減される。だとしたら、自分たちの経営努力で株価を上げる方向に持っていこうという考え。

株主のことを考えればこそ、という思いでの『ブラック・マンデー』時の株式公開であった。

## 産業界の生産性向上に貢献するシステム産業

生産性を上げるというニーズが産業界にある限り、システムづくりの仕事は存在し続ける。

野澤が創業してからもSE(システムエンジニア)やプログラマー不足は深刻だったし、新聞やテレビなどのメディアでも「数十万人の技術者不足」と報道されていた。

従って、70年代の2度にわたる石油ショックやブラック・マンデーなどの金融危機、またバブル経済崩壊、そして21世紀に入ってからのリーマンショックなど幾つかの危機が襲来し、一時的に打撃を受けたものの、長期的には開発ニーズは強く、仕事は絶えることはなかった。

「今から見ると、当時は開発環境が未整備で、生産性が著しく低かったですね。こんな仕事にこんなに人が必要だったのかというぐらいに、要員が不足していましたね」

野澤は、業界全体で要員不足がずっと続いてきたし、根本的にはそれは今も続いているという。今、生き方・働き方改革がいわれるが、創業以来、社員と一緒に懸命に働いてきたという野澤の思い。大手電機メーカーの仕事を受注し、1週間ぐらい徹夜仕事が続いたときなどは仕事場に泊まり込んだ。

「今で言う、ブラック企業ですよ。プリンター用紙1枚で寝られないと一人前じゃないだとか（笑）。いろんな逸話がありましたよ」

コンピュータは昼間は業務でフル稼働しているので開発作業は夜の時間帯になることが多い。野澤も30歳ちょっと過ぎたぐらいのときで、体力は十分あり、徹夜で仕事に取り組んだ。

コンピュータは作動していると発熱するので、部屋の中はクーラーを効かせている。「だから、仕事をしていて寒いんですよ。テープデッキの裏が暖かいんです。そこへプリンター用紙を敷いて、眠るという、今では考えられない時代でした」

一晩中、コンピュータは動き、ガーガーとうなる音がするから、決して快適な寝場所ではない。それでも、「コンピュータのテープがグルグル回っていて、いろいろな音がするんですが、当時の機械は本当に機械らしかったですね」と懐かしそうに回顧する野澤。

自分たちの書いたプログラムがその通りに動いているなと目で確認できる、そうした環境での作業も、今では楽しい思い出だ。

## ウェブ会議で威力を発揮する『moreNOTE』

それから40余年、生き方・働き方も大きく変わろうとしている。

コロナ危機が2020年初めに襲来、コミュニケーションツールとして、ウェブ会議なども随処で使われるようになった。

テレビ会議にもいろいろやり方があるし、パソコンの画面だけを使用するといったものから、あとは他の機器や装置を付加して、より対話や議論の質を高めようというものまである。

「当社は、全社員にタブレット端末を配ってマイクロソフトの『Teams』（チームズ）というコミュニケーションツールを使えるようにしているんですよ。だから、タブレットがあれば、会話ができるわけです。その上、『moreNOTE』（モアノート）という我が社独自の文書管理のソフトがあります。資料が全部、このモアノートに入っていますので、普段の会議もモアノートがあれば済んでしまいます」

このモアノートの導入で、従来より会議の質が向上したということである。野澤が続けて説明する。「当社はPCが発売された頃から、PCに資料を格納し、会議や打ち合わせを行っていた。従って、分厚い資料を持っていって会議をするということは、うちの社内では全くないんです。ノートパソコンか、iPadのようなタブレット端末でモアノートを開けば資料が全て入っていますから、どこへ行っても会議ができてしまいます」

ペーパーレス会議システム『モアノート』の発売は２０１２年(平成24年)。導入実績は約３３００社に上る。企業だけでなく、県庁や市議会など自治体、公的機関の採用も広がる。

創業から50年、この間、年賀状作成・宛名印刷の『筆ぐるめ』、コミュニケーションロボットの『ＰＡＬＲＯ』、さらには自動車の次世代技術(ＣＡＳＥ)に絡む技術やアプリの開発が進む。創業時の独自性、自主性のある企業を目指す——という思いが50年後の今日、さまざまな応用技術として花が開こうとしている。

# ペーパーレス会議の『moreNOTE』を開発、コロナ禍での在宅勤務で力を発揮

システム化、デジタル化は産業界の生産性向上や経営の効率化に貢献——。このことはコロナ危機下、在宅勤務、つまりリモートワークを多くの人が体験し、新しい生き方・働き方を実感させられたことからも分かる。ペーパーレス会議システム『more NOTE』（モアノート）をすでに2012年（平成24年）に発売。テレビ会議なども同社の取締役会では早くから実践済み。ペーパーレス化、リモートワークを可能にする新しい会議システムの『more NOTE』はすでに約3500社が導入、県庁や市議会など役所・公的機関でも採用が進む。コロナ禍の中で感染症防止と経済再生の両立をどう図っていくかという今日的命題の中で、「当社は、業務の効率を上げるという面と、機械の組み込みソフトの技術開発に強みがあります」と野澤。そうした得意技をどう伸ばしていくか——。

## ペーパーレス会議システムの『moreNOTE』を発売

ペーパーレス会議システムの『more NOTE（モアノート）』の発売は2012年で、産業界でも早かった。

さまざまなデバイス、例えばiPadやiPhone、さらにはWindows OSを搭載し

たタブレット端末などに対応。端末の操作に慣れていない人でも、「簡単な操作で素早く関係資料にアクセスできる」という触れ込み。

同社では、取締役会でも、この『moreNOTE』を活用したテレビ会議を以前から実施。

台風や地震などの自然災害、社内外の様々な事情で、役員や関係者が会社に来られないときは、在宅でテレビ会議に臨む。

そうした自社グループでの実績を踏まえて、この会議システムを外部に販売。すでに、『moreNOTE』を採用している企業は約３５００社にのぼる。

『moreNOTE』を採用している企業の間では、〝いつでも、どこでも〟参加できるペーパーレス会議が開けるというので好評。

どういう動機から、いち早く、このようなペーパーレス会議システムを開発したのか？

「これは、タブレットの１つのアプリケーショ

2012年10月、富士ソフトの役員会で初めて「more NOTE」を使用した

ンとして開発したのがきっかけです」

野澤はこう切り出し、次のように語る。

「会議を進めるにはそれに必要な資料づくりとその配布が紙の場合だと大変です。会議を開くたびに、会議議事録を作らなければいけない。当社はPCが発売された頃から、PCに資料を格納し、ペーパーレスで会議を行っていましたが、タブレットを使えばもっと効率を上げてやれるのではないかと検討し、知恵を出し開発していったんです。それで会議の円滑化につながり、資料の共有もでき、閲覧、差し替えが簡単にできるモアノートをつくりあげたと。膨大な資料を全部小さな端末から見ることができて、大変便利だなと自分たちも実感しています」

同社ではモアノートを社外取締役にも活用してもらっている。マイクロソフト社のコラボレーションプラットフォーム「Teams（チームズ）」を併用し、リモート取締役会を開催している。

情報漏洩を防ぐためのセキュリティ対応も徹底。「モアノートを使った会議はフォルダごとに権限が設定されていて、例えば取締役会の場合だと、役員レベルしか見られない階層構造になっています。セキュリティは完璧です」と野澤は語る。

このモアノートを特に活用しているのは役所だった。地方自治体の議会、例えば神奈川県の寒川、藤沢、横須賀、それに秦野の各市市議会、さらには葉山町議会などは先駆的に採用。

湘南地区の議会関係者は環境問題への関心も高く、自分たちの仕事もペーパーレスで臨もうという意識が強かった。

九州地区では、佐賀県庁などもこのシステムを採用。このことで四国・九州地区の行政、議会関係にも一気に広がっていったという経緯である。

## 2012年から在宅勤務を検証

このモアノートを産業界で累計約3500社が採用しているということだが、「お客様にとって、使い勝手がいいかどうかを常にチェックしています」と野澤は語る。

11年の東日本大震災を機に、働き方改革を推進し、12年には在宅勤務、リモートワークでエンジニアを含め全社員が、モアノートを活用して自宅で仕事ができるかどうかの検証を実行。

「在宅勤務の練習をやろうということで、在宅デーを当時から年に1日か2日、設けて実行してきていたんです」

パソコンやiPadがあれば、自宅か、他の場所にいても十二分に対話や会議が開けるということを、12年頃から実証してきていたということである。

システムエンジニアも在宅で仕事が進められる態勢づくり。

「設計の担当者は時々、お客様と打ち合わせをしなければなりませんが、コロナ禍でなかなかそういう機会を持ちにくいところがあります。お客様の方から、自分たちの方から会社を訪ねるよとおっしゃる方も多くて、それでは困りますので、当社の方でモアノートにお客様はじめ誰でも気軽に資料共有できる新機能を追加しているんです」

システム開発は、その技術の質と納期を守ることが大事。コロナ禍の襲来だからと言って、納期が遅れるということがあってはならない。顧客との丁寧な対話や打ち合わせは欠かせない。

しかし、コロナ危機下にあって、人と人の接触はできるだけ避けなければならない。本来ならば直接会い、顔を合わせて打ち合わせるのが一番いいのだが、それができないとなると、別の手段が必要となってくる。

「お客様の中には、当社の営業担当者にいちいち来ないで欲しいと言う方もおられますが、打ち合わせに困りますので、全社員に配布しているｉＰａｄなどのタブレット端末で、モアノートを活用し、丁寧に話をしていくということが進んでいます」

技術開発にしろ、営業の進め方にしろ、危機時には創意工夫で新しいやり方が登場してくるということだ。

## コロナ危機にあって増収増益

20年（令和2年）1月、日本に押し寄せてきたコロナ危機。前年末、中国・武漢で発生した新型コロナウイルスによる肺炎は瞬く間に世界に拡散していった。日本政府も4月7日に緊急事態宣言を出し、国民に対して、不要不急の外出の自粛などを呼びかけた。

そして5月25日に宣言を解除。感染防止と経済活動・社会活動の両立を図るため、6月19日に都道府県をまたぐ人の移動も〝解除〟した。

しかし、その後も、国内の感染者数は増え続けている。体力のある若い世代には感染しても、無症状の人が多いとされる。今回の新型コロナ禍は、未知の部分が多い。

緊急事態宣言下、日本全体が外出自粛に入っていた期間中、富士ソフトは在宅勤務・リモートワークを実施。社員数は8000人に上る中で、自粛期間中の在宅勤務比率は8割になった。

要は、これから新しい生き方・働き方を模索するとして、在宅勤務をした場合の働き方の生産性はどうなっているのかということ。

「生産性は多少落ちるところもあるとは聞いていますが、今回の長期間にわたる在宅勤務でのそれについては、まだ正確なデータが取れていない。その点は、今後詰めていかなければと思っています」と野澤は語る。

もっとも、富士ソフトの20年前半（1―6月期）の業績は好調。連結売上高は約1225億円と前年同期比8％増と従来予想（1165億円）を上回った。また、連結営業利益も前年同期比26％増の84億円強を達成、従来予想（67億円）を上回った。

コロナ危機の中で、在宅勤務・テレワークが産業界全体に浸透し、関連の受注案件が多かったこと、また、ＥＣ（電子商取引）関連の引き合いも多かったことが増益要因になっている。

国内の製造業などは、需要減に見舞われ、自粛期間中は休業を迫られたり、緊急事態宣言解除後も減産を強いられたりしている。そうした製造業の生産コスト見直しのためのソフトウェア開発の受注も底堅く推移。

今後、産業界ではコロナ危機を生き抜くための競争力向上や体質強化のためのＩＴ（情報技術）投資はそれ相当に増えると見られる。

一方で、業績不振の企業はそうした投資もできずにいる所もある。コロナ危機は明暗分かれる対応を生んでいるのも事実だ。

## 今後、コロナ禍にどう対応していくか

創業50年目という節目の２０２０年にコロナ危機を迎えた富士ソフトにとっても、今はこれからの進路と方向性を決めるうえで大事なとき。創業者であり、会長である野澤はコロナ危機下での経営の進め方をどう考えているのだろうか。

「こんなにひどい状態になるとは予想しなかったですね。今までの疫病と全く異質なものを感じますし、中には重症化する人もいる。当初言われていたより、かなり重い病気だなあと思いますね」

新型コロナウイルスによる肺炎は未解明のことが多い。感染した人も約80％は軽症で済むといわれたりする。

20代や30代の若い世代は感染しても無症状で済む人がいて、その人たちがウイルスを拡散する懸念もある。高齢者で糖尿病など持病のある人は重症化したりするといわれる。

「そのように、重症化した人の話の方が多く伝わってきますので、やはり怖いですよ、予想以上にね。だから、油断はできない。緊張感をもって仕事をしていくということです」

この中にあって、日本の感染者数は4万1524人で死者数は1023人という数字（20年8月4日現在）。

2020年の前半、欧州各国では感染が急拡大し、医療崩壊が起き、一時パニックとなった。いまは落ち着いているものの、これまでの死者数は英国で4万6000人、イタリアで3万5000人を超え、ドイツも9000人以上となっている。

米国や欧州各国など同じ先進国の中で、日本の感染者数や死者数は圧倒的に少ない。

緊急事態宣言下でも、欧米のようにロックダウン（都市封鎖）などの強硬な手段を取らず、外出の自粛などを政府が呼びかけ、これに国民も対応してきての、この数字。世界全体を見渡した場合、日本はまだ抑え込んでいると言っていい状況。

全体的に清潔好きで、手を小まめに洗ったり、うがいをするという国民性もあって、この『日本型モデル』は一応評価されている。

しかし、課題も少なくない。医療体制にしても、ベッド数が少ないし、もし蔓延したら、途端に逼迫するという状況であることに変わりはない。

## 得意技を磨く！

緊張感のある日々が当分続く中で、新しい生き方や働き方をどう創りあげていくか？

「企業経営の立場からすれば、やはり生産性を上げていくということですね」

野澤は今後の企業経営の方向性について、『生産性』をキーワードに据えながら、「システム化、デジタル化というのは経営効率を上げる大きな武器です」と強調する。

産業界の生産性向上をそれこそ縁の下の力持ちよろしく支えていく。そのことが会社に危機対応力、危機に柔軟に対応していくレジリエント（弾力的）な力を植え付けることにもなる。

危機対応力を付けるには、自らの得意技を身に付けなければならない。富士ソフトの得意技とは何か――。

「当社は、業務の効率を上げるというテクノロジーの領域と、特に機械の組み込み系の技術に本業の強さを持っています」

例えばマイクロコンピュータの登場で各種機械の歯車や部品は大幅に削減でき、性能向上につながった。こうした生産性アップに、同社の組み込み系技術は大いに貢献。

「省資源、機械の部品の単純化、高度化につなげていくと。わたしたちの得意技とする技術で、新たな分野へ挑戦してきた」と野澤は語る。

# 組み込み系テクノロジーで、ロボット『PALRO』が登場

自分たちの得意技を生かしていく――。創業（1970年）以来50年、この間、石油ショックやバブル経済崩壊など幾多の経済危機があったが、この中にあって、富士ソフトが常に成長をし続けてこられたのも、得意技を持っていたからである。自分たちが手掛けるソフト開発は、「業務の効率を上げ、生産性向上に役立つもの」という野澤の一貫した思い。経済全体を揺さぶる危機が到来すれば、企業経営もその影響を受ける。しかし、だからこそ危機を乗り越えるべく、経営体質を強化し、生産性を向上させるためにも、得意技が不可欠。〝組み込み系の技術〟の展開やロボット『PALRO』の開発などフロンティアの開拓が続く。

## 得意技の組み込み技術でフロンティアを開拓

システムづくりで、〝組み込み技術〟は自動車や複写機などの事務機など、いろいろな領域の機械に採用されてきた。

マイクロコンピュータの登場で機械の小型化・精緻化と同時に高機能化が進んだ。そうした機械

に組み込み系のソフトウェアが埋め込まれ、ユーザーの使い勝手も一段とよくなっていく。

「産業の米（コメ）と、マイクロコンピュータが言われて久しい。もう米のごとく、各産業においても、無くてはならない資源になりましたね」

各産業の技術開発、特に製造業でのそれは省資源・省エネルギーを図るという形で進化。

「ええ、例えば大型バスの運転にしろ、パワーステアリングになったから、スムーズにハンドルさばきができるわけですね」

野澤は、大型バスのハンドルさばきがたやすくなったことについて、「昔は電動モーターを使って車を動かすだけの力、パワーを上げようという仕組みでした。マイコンを組み込んだ場合、ハンドルも角度をちょっと変えれば、それだけホイール（車輪）が曲がるという計算で組み立てられた仕組みになっているわけです」と語る。

マイコン搭載の大型バスの運転では、運転手がブレーキを踏んだとして、その踏んだ力で直に車を止めるわけではない。

ブレーキを踏むという作業は、いわば車を止めるスイッチを押すということと同じ設計になっているということ。

「直の力を使って、あんなに軽く大型バスが動くわけはないですからね。ブレーキにしろ、あんなに軽い力で重たい車体が止まれませんからね」

ハンドルにしろ、ブレーキにしろ、実はスイッチ機能になっていて、運転手の指示する力に応じてマイクロコンピュータが瞬時にどれくらい車輪を回せばいいのか、またブレーキをかければいいのかを計算する。

「はい、その場合にソフトが必要になってきます」

数十年前、冬季にはエンジンがかからず、燃焼効率を上げようと、チョークを何度も引っ張ろうとする光景があちこちで見られた。「ガガガーって音がするだけで、本当にエンジンがかからないと苛々してきてね（笑）。そのうちにバッテリーが上がってしまい、結局は動かなかったりして、困ったことがありましたよね。今はそういうことはなくて、全部最適な設計になっている」

エンジンの中でガソリンの最適な噴射ができるように、ガソリンが噴霧になるように、きちんとコントロールする設計。

アクセルをぐっと踏むと、ガソリンの噴霧の量が増え、車輪の回転が速くなる。すべてマイクロコンピュータにそうした情報が伝えられ、運転する人の指示通りにマイコンが計算するという仕組み。

今、ＡＩ（人工知能）がキーワードとなり、産業領域はもちろん、社会領域から文化、趣味の領域にまで活用が始まった。

囲碁、将棋の世界にまでＡＩが活用され、ＡＩ棋士という言葉まで使われるようになった。

大型バスの運転にマイコンを活用したパワーステアリングが使われ、そうした仕組みを動かすのがソフトづくりだということ。そのソフトづくりには、ＡＩの初歩的な考え方が織り込まれているということである。

道路情報のやり取りにしても、最近は〝カーナビ〟（カーナビゲーション）の進化で、知らない場所も簡単に訪ねられるようになった。このカーナビもソフトの塊だ。

ゼンリンなど地図大手の地図情報を、宇宙衛星を通して位置情報をもらう仕組み。

「あの画面に最適な地図を表示して、自分の車がどこの位置にいるのかというのは全部コンピュータで計算している。その開発の大部分はもう10年位前に終わっています。でも、まだまだ高度化できます」と野澤。

事実、カーナビの画面も大きくなり、また、きれいな画面に工夫したりと見やすくなってきている。技術は進化し続ける。

## 「つながる時代」に向けて

自動車産業の領域では最近、『ＣＡＳＥ』という言葉がよく使われる。

ＣＡＳＥ。ＣはConnected（つながる）、ＡはAutonomous（自動化）、ＳはShared（シェア＝共有する）、ＥはElectric（電動化）という意味。

「これからはますます、つながる時代。隣の車とつながるとか、道路の情報がどんどん伝わり、最適な運行ができるような情報の受け取りとか。次世代車づくりには期待がかかります」

そうした新しい生き方・働き方の中で今、『スマートシティ』づくりが進む。ＡＩやＩｏＴ（モノのインターネット）など最先端テクノロジーを活用しての都市づくりだ。

環境に配慮して再生可能エネルギーを導入したり、そのエネルギーを効率的に管理する〝スマートエネルギー〟。また、自動運転技術を取り入れての〝スマートモビリティ〟もほぼ実用化の段階を迎えている。トヨタ自動車がＮＴＴと組んで、富士山の麓・静岡県裾野市で建設するスマートシティもその一つ。

新しい生き方・働き方の追求と実現へ向け、「人と人のつながり、人とモノのつながりはますます強まる」という野澤のメッセージである。

## ロボット『ＰＡＬＲＯ』

富士ソフトの強みといえる組み込み系テクノロジーを活かしたのがコミュニケーションロボットの『ＰＡＬＲＯ（パルロ）』。

人はロボットとの共生を夢見てきたと言っていい。手塚治虫が描いた『鉄腕アトム』は戦後日本の子供たちに元気と大きな夢を与えた。

空を飛び回り、大地を駆け抜けて自由に活動するロボット・鉄腕アトムは子供たちの世界で瞬く間にスターとなった。

人生に困難や諸問題はつきまとうが、鉄腕アトムは子供たちと一緒に行動し、対話し、それらを一つひとつ解決していく。

戦後の厳しい状況の中で、復興に励み、懸命に働く国民にとっても、未来は明るいぞという夢を鉄腕アトムは与え続けた。

ＰＡＬＲＯも、人とロボットが一緒に暮らすというコンセプトの下に開発された。

高度なＡＩを駆使したヒューマノイドロボットのＰＡＬＲＯ。コミュニケーションの第一歩は、相手の顔をしっかり見て会話すること。愛嬌のある丸々とした眼をしたＰＡＬＲＯがこちらの顔を認識して話しかけてくる。自分の名前を告げると、ＰＡＬＲＯもその名前と共に、こちらの顔や表情もしっかりと覚えてくれる。

そして、「○○さん、よろしくお願いします」という言葉を返されたりすると、まるで人と同じ感情や認識を持っているかのようだ。

会話をすること、挨拶を交わすことがこんなに人を元気づけ、励ましてくれるとは、というのでＰＡＬＲＯに出会った人は感激する。

福祉施設で、ＰＡＬＲＯと対話したおじいちゃん、おばあちゃんが元気になったという話もある。ロボットの存在が人に笑顔と元気を与えてくれるし、人とロボットは共生できると実感する。

しかし、まだまだきめ細かさを追求し、改善していくべき点は少なくない。

ＰＡＬＲＯはどうやって開発されたのか？

富士ソフトにとっては、携帯電話の〝予測変換機能〟などの組み込み系テクノロジーは得意分野。長年培った、この組み込み系ソフトウェア技術を駆使して、『思考の連鎖』をつくるまでに至ったということ。

言葉を投げかけられたＰＡＬＲＯが、その言葉を自ら解釈し、その言葉に関連のある語句で応答し、会話する。ＰＡＬＲＯ自身がこうやって話題を広げていくことができる。

## 開発のきっかけは社員の熱心な提案から

ＰＡＬＲＯが開発されたのは２０１０年（平成22年）のこと。

ロボット領域に、今後、どういうスタンスで臨むのか？

「いずれ取り組まなければならない仕事ですから、それならば早目にやって、余裕のある段階で余裕のある範囲内でやろうという考えでやってきたわけなんです」

きっかけはある提案だった。

「うちの渋谷正樹という、今は専務になっていますが、彼が部長時代に、ロボットをやりたいと言い出して、自身の構想を打ち上げてきたんです。話を聞くと、おもしろい。それで『いいだろう』ということで、まずはやってみようと。こちらも少々戸惑いましたが、そういう人材が当社にいたということがすごく嬉しかったですね」

る。果たして、事業にまで持っていけるのか、ビジネスとして成り立つのかということが気になったが、野澤は「いいじゃないか、やろう」とＯＫサインを出した。

「ロボットの開発にはカネがかかります。それから完成というものがどこにあるのか分からないと。まだ完成にはほど遠いですし、１００段の階段があるとして、まだ1段も行っていない」という野澤の現状認識。

ＰＡＬＲＯの開発に関係するスタッフは11人。これからが本格的な事業育成ということで、関係者も「挑み甲斐のある仕事」と緊張感を持っての取り組みである。

2010年に発売したコミュニケーションロボット「PALRO」。
高齢者福祉施設などで活用されている

## ロボット領域の今後の取り組み

ＰＡＬＲＯを登場させて10年が経ち、「派生的にいろいろな技術が出てきましたので、そういう面ではおもしろい」という野澤の受け止め方。

例えば、顔認識の技術では、ＮＥＣが先行しているとされるが、この分野では多様な技術が存在するし、これからも新しい技術の登場が期待される。

「ええ、当社は当社なりの顔認識技術があります。これまで研究開発を続けてきて、いろいろと成果が出てきています」

今後の課題について、「例えば会話。まだまだ開発の余地があります」と野澤は語る。

人とロボットの会話の研究はまだまだ続く。特定の問題や領域など部分的なコミュニケーションや会話の解析、そして研究は行われてきているが、トータルに何不自由なくロボットに会話させるというのは、まだこれからというのが実情。

例えば朝、ロボットが人に声を掛けられたとして、ロボット側は次にどういう言葉で答えていけばいいのか。

「ロボット自体が、『うん？』とか、『おっ、何これ』と戸惑い、すぐに判断がつかないことが多いんです。次の答えが準備できない」

野澤は、「そういう予期しない事態を、どうやってコミュニケーションとしてうまく会話を進めるようにしたらいいのかが課題の1つ」と語る。

ロボットが、相手の顔色を見て、話を変えていくということはまだできないし、今後、研究していく課題は少なくない。

しかし、福祉・介護施設に約1300台のPALROが届けられ、おじいちゃん、おばあちゃんに喜んでもらっているのは事実。

人を元気にさせるPALROの登場は、同社の研究開発陣を奮い立たせている。

# 挑戦と創造の精神で

## 30年前の毛筆わーぷろから最近の再生医療領域まで

チャレンジ・アンド・クリエイション（挑戦と創造）――。１９８０年代はワープロ（ワードプロセッサー）が社会に浸透し、その文書作成・編集機能が手軽に利用できるようになった。ワープロ専用機の人気が高まったが、次第にその機能はパソコン（パーソナルコンピュータ）に収納されていく。オフィスはもちろん家庭でのパソコン利用が高まった80年代半ば、富士ソフトは年賀状作成にも利用できるソフト『筆ぐるめ』の前身となる『毛筆わーぷろ』を開発。一般のワープロは普通の文字だったが、同社は『毛筆』にこだわったソフトを市場に投入。このほか、最近では新しい領域の開拓ということで、医療関連で〝軟骨再生〟にも取り組む。医学、工学、理学、薬学など学際的研究のティッシュエンジニアリングという手法を活用しての再生医療領域。フロンティアの開拓が続く。

### 元祖毛筆ソフト『毛筆わーぷろ』を80年代半ばに投入

得意技・組み込み技術を基盤に、富士ソフトは次々とフロンティア（新領域）に挑戦。コミュニケーションロボットの『ＰＡＬＲＯ（パルロ）』もそうだし、顔認証の技術も含めて、新領域の開拓が今も進む。また、東京大学医学部の寄付講座をきっかけに、軟骨の研究も進め、軟骨再生医療の開拓にも着手。

得意技を掘り起こし、その中核技術の深化・進化を図っていく。そうすると周辺技術とつながり、研究者と開発者のつながりも生まれる。こうして、人と技術がつながっていく。『ＰＡＬＲＯ』や軟骨再生の新領域もこうして事業の芽を育ててきた。

手紙やハガキを出す際の宛名書きはもちろん、年賀状や暑中見舞い状などを出すときに使われる〝ハガキ作成ソフト〟の『筆ぐるめ』も同社のヒット商品。

約30年前の発売以来、自分の好みの絵や写真を自在に貼り付けられ、きれいな毛筆で文章が書けるソフトということで人気。

「今も立派な黒字商品です。元祖毛筆と言われているんですよ、歴史的にも。筆文字のワープロというのは、当時本当に珍しいものだったんです」と野澤も思い入れたっぷりに語る。

『筆ぐるめ』の前身『毛筆わーぷろ』が登場したのは１９８６年（昭和61年）、日本語ワープロソフトの『一太郎』が登場し市場を席巻していた。

ワードプロセッサー（WordProcessor）、略して、ワープロ。直訳すれば文章作成や編集を行う機械ということだが、要するにコンピュータで文章を入力、編集、印刷するシステムを持った機械である。

元々、ワープロは米ＩＢＭが１９６４年（昭和39年）に開発したものだが、日本では日本語の漢字入力という非常に困難な課題を抱えていた。日本語はアルファベット（26文字）より複雑な字形で種類も多く、それをコンピュータで入力し印刷するという難解な課題があった。

ソフトウェアの研究開発・販売を手掛けるジャストシステムが日本語のワープロソフト『一太郎』を市場に出し、ワープロブームに一気に火が付いた。

１９８２年（昭和57年）にＮＥＣのパソコン『ＰＣ９８０１』が発売され、パソコン時代が到来。当時発売されよく売れたソフトが『一太郎』であった。

「初代『一太郎』を、ジャストシステム創業者の浮川和宣さんが出したとき、うちも売れるソフトを作りたいなあと思って考え出したのが『毛筆わーぷろ』なんです」と野澤は振り返る。

『毛筆わーぷろ』の特長は文字通り、毛筆の味わいを楽しめるソフト。『一太郎』などのワープロソフトは普通の文字であった。富士ソフトとしては、

1986年、『毛筆わーぷろ』（『筆ぐるめ』の前身）を「データショウ」に出展

「同じようなソフトを後発で出しても勝ち目はない。うちは他社にはない筆文字を出そう」と努力。そして、元祖毛筆といわれる筆文字を開発していった。

筆文字を開発するまでには、書家にも助言、協力をあおぎ、字にやわらかさが出る〝行書〟の書体を採用。楷書と草書の中間である行書で整えていった。

## 書家の助言も仰いで筆文字のフォントを作成

コンピュータで使う筆文字とはどんなものなのか――。

「まず、毛筆のフォントと言って、字形を作らなければならないんです。コンピュータで打ち出すための字形作りです。そのフォントを作るのが、これまた一大作業でした」と野澤。

フォント（font）。同じ字形の活字を一通り揃えたもの。コンピュータ上で筆文字を書いていくときのプラットフォームと言っていい。

このフォント作りに当たっては、書の専門家の助言を仰いだ。「ただ、毛筆の大家の先生にお願いして、訳のわからない字になってしまってもいけないと。そういうことで、書道教育連盟という学校教育の連盟がありまして、そこの理事の人に相談して、7000文字ぐらい、作ったんじゃないですかね。それをフォント化して作ったのが、『魚石行書』という当社の書体です」

こうして、『毛筆わーぷろ』が出来上がっていったのだが、この書体は「当社にだけしかないものです」と野澤は語る。

『毛筆わーぷろ』を行書の書体にしたのはなぜか？

「あくまでも柔らかい感じをということで、そんなに崩していません。普通の教科書体とは違う。やはり教科書体って堅いですから、そのままでは使えません。かと言って、柔らかすぎても、よく読めないということになりますからね。それから、かすれというのが大事で、これを出すのが大変なんです」

誰もが、世代を超えて、若い人も熟年の人も読めるように、柔らかな感じを出すことに腐心したと野澤は話す。

その『毛筆わーぷろ』は当初から大変な関心を集めた。

当時、東京・晴海埠頭で開催されていたデータショウ。このデータショウに、富士ソフトは『毛筆わーぷろ』を出展。

ブースを訪れた人にサービスで感謝状を作り、来訪者の名前を毛筆で打ち込むという作業を披露。瞬く間に、ブース前は長蛇の列になり、文字通り押すな押すなの盛況。

富士ソフトの前には日本アイ・ビー・エム、その隣にＮＥＣがブースを構え、その界隈は人の往来が激しかった。

そこへ、『毛筆わーぷろ』が登場したというので、訪問者が殺到、ブースが押し潰されてしまう前代未聞のことが起きてしまった。余りにも多数の人が押し寄せ、辺りには不穏な空気が漂うほどであった。当時、ブース内には、後に社長を務める松倉哲(あきら)も開発責任者としていたが、その松倉が「大変だ」と悲鳴を上げるくらいだった。

「長蛇の列ができてしまって、大変でした。また、当時のプリンターは印刷するのが遅いんですよ(笑)。そんなに来るとは思っていなかったから、機械を2台しか用意していなかったため、思うようにさばけなくて」

野澤がその時の状況を次のように続ける。

「感謝状に名前を打ち込むサービスをしようと。それで、その人の名前を聞いて、それを打ち込んで印刷するという手順で仕事を進めるんですが、当時のプリンターでは二度刷り、三度刷りしないと、文字として墨のように太く黒くならないんですよ。何度も印刷を重ねて、筆文字を作るわけですから、ものすごく時間がかかってしまいましてね(笑)」

ブースを訪ね、長い行列の中で順番が来るのを待つのも大変だが、ブースの中で汗だくで作業に取り組む方も大変であった。「うれしい悲鳴ですね」。このときの〝騒動〟は良い思い出として、野澤の記憶に残っている。

この毛筆ハガキソフトの分野ではライバルも登場。長らく、富士ソフトの『筆ぐるめ』は東海クリエイト(現・クレオ)の『筆まめ』やソースネクストの『筆王』との間で競争が続いた。

クレオが『筆まめ』をソースネクストに売却して、この領域でも再編があった。

「わたしどもはなかなか1位になれずにやってきましたが、『筆ぐるめ』の事業は順調にいっています」と野澤は語る。

デジタルトランスフォーメーション（DX）が叫ばれ、AI（人工知能）があらゆる産業領域にまで入り込んできた今日、ヒューマン（人間的）なもの、情感・情緒的な要素を取り込んで新しい産業文化が創られていくのだと思う。

年賀状や各種行事（イベント）などで、『筆ぐるめ』は使われ、親しまれるようになった。約35年前の発売以来、売り上げが増え続け、根強い需要があるのがその証左だと言えよう。

## 医療関連の軟骨再生プロジェクトにも着手

新しい事業や領域の開拓——。「挑戦と創造が我が社の社是。とにかく『チャレンジ・アンド・クリエイション』です」

野澤は、自分たちのこれからの生き方について、C＆C（チャレンジ・アンド・クリエイション）がキーワードだと強調。

新しい領域の開拓ということでいえば、医療関連の軟骨再生プロジェクトにも関わる。

今、富士ソフトには中途入社で各領域から、いろいろな人材が集まってくる。外資系の製薬会社で新薬の説明をしながら医療販売の仕事を担うMR出身者などもいる。そうした人的なつながりの中で東京大学医学部の研究講座に寄付。これをきっかけに、東大の研究者や教授陣との交流が始まった。

「当時、東京大学の新しい医療系の取り組みとして、医学部附属病院にティッシュエンジニアリング部が設置されまして、そこに8つの研究講座がつくられていました。新しい切り口で先端医療の研究開発を進めたいと。寄付講座を募っており、我社もそれに応じて申し込みました。以来、東大さんの研究室と縁ができました」

東大との交流は2005年（平成17年）11月から始まった。

ティッシュエンジニアリング——。93年（平成5年）に米国の研究者が提唱した新しい研究開発手法。生きた細胞を使って、本来の機能を備えた組織や臓器を人工的に作り出そうというもの。このティッシュエンジニアリングを実現するためには、この「細胞」と細胞が活動する場所となる「マトリックス」、そして体に有効な作用をもたらす「生理活性物質」という3つの要素が不可欠だ。これらを一定の時間や条件下に置くことで生体機能を持つ組織・臓器をつくり出せるというのがティッシュエンジニアリングの成果となる。

そのためには、医学、工学、理学、薬学などの複合的な研究が大事で幅広い知見が求められている。そしてティッシュエンジニアリングは再生医療の有力な手立てになるという認識が広まっている。

軟骨再生はどういう点で、医療の進歩に貢献できるのか？

「シャーレで、自分の耳の裏にある耳介軟骨（じかいなんこつ）から取った細胞を培養して、例えばそれを耳の治療に使ったり、口唇口蓋裂の人の鼻の治療に使ったりというように、いろいろな所で軟骨再生の技術は活用できる」

野澤が続ける。

「ただ、軟骨といっても、幅が広くて、いろいろな軟骨があります。まず、顔の形成で使われる軟骨、これが主流ですね。それと膝の軟骨とはまた別で、膝の軟骨の方は強度を出すのが大変、形を整えるのが難しいとか、課題はいっぱいあります」

富士ソフトは社内に再生医療研究部を設けている。この中には医学博士を取得した研究者もいる。現実に軟骨づくりを担う製造部隊は別会社方式で運営している。

「当面はまだまだ収益を生まない状況ですが、お陰様で、医療関係の方々との交流がずいぶん増えてまいりました」

野澤はこう語り、「医療に従事する人は診断・治療にも従事しなければいけない大変な仕事。研究者はそれとはまた別の道ですが、研究者なりの苦労がありますね」と感想を述べる。

変革期の今こそ、「チャレンジ・アンド・クリエイション（C&C）の精神で臨んでいきたい」という野澤の生き方である。

# 第3章

# 「人」の可能性を掘り起こす

# 人は自ら育つ――。
# 人材の可能性を引き出す経営トップの責任

人は自ら育つ―。自らの手で自らの人生を切り拓くという思いが自身を鍛え、成長させていく。そうした人材が集まってこそ、企業も成長、発展していく。富士ソフト自体も、1970年（昭和45年）の創業期、大手の下請けや傘下に入らず、経営の自主性、独立性を貫いてきたからこそ、今日の社員数約1万5000人、東証1部の上場会社として成長、発展してこられた。現在は教育研修など会社の教育体系も組織的に整備されてきているが、『人は自ら成長する』を基本に、今後の経営戦略を考えていく」と野澤氏。企業は社会の公器という観点から、人材の成長やトップのあり方についての野澤の経営観を追うと―。

## 自ら育つ人材こそが伸びていく！

システム業界は、戦後日本の経済成長を支え、また生産性向上という課題に関わるだけに、市場としては右肩上がりに拡大、成長発展してきた。

常に人手不足であり、ＳＥ（システムエンジニア）の不足という問題にも直面。そういう『万年人手不足』という状況の中で、富士ソフトは人材育成をどうやってきたのか？

「創業期から間もなくは、教育しないのが我が社の教育ということでやってきたんです。今は、わたしの手から教育の仕事は離れていますし、教育研修の専門のメンバーがきちんとした教育体系をつくり、現在は本当に手取り足取りやっています」

野澤はこう語り、特に新入社員教育については、「挨拶の仕方から、名刺の出し方、座席の座り方、上座と下座も分からない新入社員もいますからね」と今の教育体系はそうした細かい所まで整えて実行しているという。

今から50年前、１９７０年の創業時、「教育しないのが我が社の教育方針」だったというが、その真意とは何か。

「教育してくれないから、仕事ができなかったという人もいますね。甘いと思いますね。自分たちの力で会社を動かし、大きくしていくのであれば、自分に必要な知識や技術は自分で身につけようというのを基本にやってきた。また、そういう積極性、自主性がないと、与えられるのを待つということではいけないという形で教育してきました」

人は自ら育つということか？

「ええ、自ら成長するのだと。よく『俺が教育して、ここまでになったんだ』という言い方をする人がいますが、どちらかというと、人は自力で成長するものですからね。また、そういう人でないと、大きく羽ばたく人にはなれないです」

人は、これから何かをしたい、あるいは成し遂げたいと目標を持ったときに、それに必要な事を学び、身につけたいと考える。そういう思いが、自ら学び、自ら習得していくということになる。

創業期は、ゼロからの出発。資産もほとんどない。あるのは、仕事を創り出すという前向きな考え方と意欲。

自ら成長していくという思いが、いろいろな試練に直面した場合、それを乗り越えていく土台やバネになる。

創業以来、野澤は人の成長について、こういう考えを基本的なものにしてきた。

ただ、創業期と違って、今は社員数も増え、約1万5000人という大所帯。創業期は自分も成長し、社員も自ら成長するということを自らの目で確認。

しかし、社員数も創業から10年で100人を超

富士ソフトでは入社式と入社歓迎パーティで新入社員を迎えている。
写真は歓迎パーティに出席する野澤氏

え、さらに１０００人超えと続き、そして万人単位となってくると、「わたし１人でとても見ることはできません」ということになる。

会社が成長していくにつれ、人事は営業、財務、総務といった領域も含め、組織を整えなければならない。人材教育も組織として対応しなければならなくなる。

「経営規模が大きくなってくると、いろいろと規定も複雑になってきますし、基礎的な社員教育は必要になってきます」

社員の成長と会社の規模の関係をどう見るか？

## 社員100人規模に達したときが節目に

創業からしばらくは、とにかく、「自分が頑張らなくては」と踏ん張り、できるだけ自分でやれるものはやるということで、経理や総務など管理部門は増やさないようにしてきた。

しかし、創業から10年経って、社員数も１００人を超えると、節目を迎える。

具体的には、営業所を２つに分け、それぞれに営業所長を置き、市場開拓を積極的にやっていくことにした。

全社一丸となって、外に打って出るということになれば、経理・財務、総務畑も専門の担当者を置き、充実させていかねばならない。

会社が成長し、事業規模が大きくなればなるほど、「管理部門の強化が必要になってきた」と野澤も認めるように、組織対応が必要になってくる。

一般的に、組織の規模が拡大し、肥大化してくると、経営コストが大きくなり、収益力が低下すると考えられる。

野澤が創業期、経営基盤がまだ固まっていないときに、「できるだけ管理部門が大きくならないように気をつけた」と当時のことを語るのは、組織の肥大化で生産性が落ちることへの本能的警戒心があったからだ。

「成長を求めていくと、どうしても肥大化しやすいですから、歯止めは必要です」と野澤は経験を踏まえて語る。

要は、バランス感覚。企業は成長すれば、組織も拡大し伸びていく。

しかし、生産性の伸びを上回って、組織が肥大化していけば、体内にコレステロールが溜まって血流が悪くなり、引いては体が衰弱していくように、企業にも似た症状が出てくる。

## 経営トップと管理部門との関係はどうあるべきか

経営トップには、経営企画などの管理スタッフが付く。そうした関係の中で、「あまり管理部門を強化していくと、組織はすぐ肥大化しますし、経営者もあの資料が欲しい、この資料も欲しいとなる。こういう資料は出ないのかと責め立てていったりする経営者も出てくる。そうなると、管理スタッフも資料をどんどん追加していかなければならない。そうした作業に追われ、疲弊してしまう」

目が外に向かわず、社内も内向きになってしまう。企業が常に成長していくには伸び伸びとした組織でなければならない。

成長のためには、目を外へ向けておき、それこそ五感で市場の動向を掴み、適時的確な投資を進めていかねばならない。

経営者にとって、投資などの経営判断をするのはまさにトップの仕事。

１９４２年（昭和17年）５月生まれの野澤は08年（平成20年）６月、66歳のとき、代表取締役社長から代表取締役会長に就任。後継社長に経営の采配を託したことがある。

その１年後の09年９月には代表権を外して会長という肩書きにした。しかし、その２年後の11年10月、会長執行役員となり、経営の現場に席を戻した。

12年６月には代表取締役会長執行役員という肩書きにし、20年（令和２年）３月取締役会長執行役員という足取り。

11年10月、会長執行役員となったのは、どんな理由があったのか—。

後事を託した当時の社長と管理スタッフとのやり取りを見て、「組織が疲弊する」と判断、それを回避するには社長交代に踏み切らざるを得なくなったということである。

そして、自身に〝執行役員〟という肩書きを付けたのも、大所高所を見る会長としても現場を見ているよというメッセージを組織全体に伝えておく必要があった。

「ええ、当時の社長が経営判断するのに、こんなに細かい資料までないとできないのかということ。次から次にと資料を欲しがる。管理スタッフに、なんでそんな資料が出てこないんだとやる。そうすると、スタッフも資料づくりに追われ、残業も多くなり、組織が混乱し始める。それで、管理スタッフの人がどんどん増えていく。とにかく、社長が要望する資料を出そうという体制に切り替わっていく」

管理部門がいつの間にか、ものすごく肥大化していく。経営の生産性という観点からも、ここは看過できなくなったという当時の会長としての野澤の判断であった。

「そこまで細かい資料を見なくたって経営判断できるだろうと。そういう数字が出なくたって十二分に判断できるのにと。そこで判断し、経営の方向性を決めるのが経営陣のわれわれの仕事なんだということですね」

## 管理部門の適正比率は？

外向きに打って出なくてはならないときに、社内が内向きの仕事に労力が割かれ、事業進出のチャンスを失ってしまってはいけない。

しかるに、当時の社長が資料を集め、さらに多く集めたのだけれども、経営の決断ができないでいるという状況に創業者として我慢ならなかったという野澤の心境。

「わたしは、できるだけ管理スタッフは少ない方がいいし、その負担を軽くしていくという考え方です。経営判断に必要なのは決算書類および最低限の管理資料だけです」と野澤は自分の基本的な考えを語りながら、次のように続ける。

「確かに、技術的な観点からの判断もあり、それに付随する資料も必要かもしれませんが、それも必要最小限にとどめておくと。あとは現場を見て判断しなければいけない」

管理部門の人員構成比率は全体の何％位が適切か？

「当社は現在、営業も含めて15％を目安にしていますが、以前は12％にしようという議論をしていた。これを意識していないと、組織はすぐに肥大化する」と野澤は語る。

## トップとしての条件

こうした変化の多い時代に、活躍している人材とはどういう人たちなのか？

「自ら仕事を探し出してくる人ですね。与えられた仕事ではなくて、自ら考え自分の仕事を遂行できる人。自分で判断できる人。そして、物事の本質や重要度をきちんと理解して、それを遂行していくうえで、自分の役割とは何かをしっかり話せる人ですね」

富士ソフトには取締役会のほかに経営会議を設けている。

「経営会議は社長の決裁会議であるという位置づけでやっています。わたしは経営会議には出ません。そこでは、出てきた課題に対して決裁し、承認していく。この決裁をスムーズにやることが大事。それが滞ると、現場の仕事が進まないことになりますのでね」

野澤が取締役会長執行役員という立場から語る。

「今年（2020年）5月から、わたしは経営会議や役員ミーティングには出ていません。経営意思の判断に関するものから一歩引いているんです。取締役会には出ます。わたしは取締役ですから、法律の縛りで出席しています」

富士ソフトの経営会議の議長は社長が務める。その社長はどうやって決めるのか？

「まず能力ですね。社長として仕事を遂行できるかどうかです。社会人として、また人間的にもきちんとやっていかないといけない。あとは社員やお客様からの信頼。経営に関係するステークホルダー（利害関係者）全体からの信頼がないとやっていけない」

野澤がさらに続ける。

「指導力、統率力、決断力、そして構想力といろいろトップの条件としてありますが、絶えず会社のことを考えている人ですね。企業は社会の公器。その社会の公器として、トップとしての責務を果たす。責任感が非常に大事です」

経営は人なり——。多様な人材が集まる企業を引っ張っていくトップの責任は重い。

# 技術集約企業にふさわしい人事政策を！トップの退任基準も明確化

人材が集まるような会社とは、どんな会社か――。人材確保と人材育成は創業以来、最重要課題として、野澤は常に反芻してきた。顧客や取引先に喜ばれるような商品やサービスの開発、つまり社会に貢献する企業であり続けるには、自分たちの得意な技術・知識分野を持とうと、例えば組み込み技術の開拓にも注力。組み込み系や車の自動運転などのCASEと呼ばれる領域での独自性を持つことが多くの人材を引き寄せることにつながる。そうした会社づくりを進めていく上で、規律を保とうと野澤が設置したのが『昇降格基準』。業績に応じて、地位を決める基準だが、経営陣では3年連続で減収減益となれば社長は退任するというもの。人が集まり、人が育っていく人事政策の根本とは――。

## 働き甲斐のある会社にしていこう！

生き甲斐、働き甲斐のある会社にしていく――。この思いは創業当初から、野澤の胸の中にしっかりとあった。

創業して間もなくは、1つでも仕事を多く受けなければならず、その質を選ぶという余裕はなかった。2次下請け、3次下請けのような仕事も取らざるを得ない。

自分たちの仕様でシステムを設計し、顧客の生産性アップにしっかり貢献するような、いわゆる一括請負方式。これを早く実現したいと考えつつ、創業して間もなくはいろいろな仕事を受注し、まず経営基盤の充実に注力していった。

そういう意味では当初、技術者の派遣業務も手掛けた。

前述したように、創業（1970年＝昭和45年）は日本の高度成長の真っ只中。IT技術者は絶えず不足ぎみで、「IT技術者の養成を」という掛け声が官民双方から上がり続けた。

そういう状況下、「仕事の受注に対してはそんなに苦労した覚えはないですね」と野澤は語り、「いい仕事をやっていれば、信頼さえ築き上げれば、いくらでも仕事が来たという時代でした」と振り返る。

SE（システムエンジニア）、プログラマーの人材不足の中で、人の育成は永遠の課題。

コンピュータなどの機器とソフトウェアとの組み合わせでシステムを作りあげていく。システムが立ち上がり、稼働した後も保守・運用などのメンテナンス業務が続く。何らかの理由で、もし障害が起きたりすれば、徹底して利用者をサポートしていく。

システム構築は、その企業の生産性を決定付ける大変重要な仕事。それだけにシステムを仕上げたときの充実感には何とも言えないものがあり、達成感が得られる。

そのシステム構築に携わった社員たちも、1つずつ仕事をこなしながら成長していく。

だからこそ、システムづくりは「人」の占める要因が高いという野澤の創業当初からの認識。

「派遣業務だけでやっていますと、会社としての、法人としての人格が育たないんですよ」

創業当初こそ、技術者の派遣業務も手掛けたが、「資金と営業基盤が固まってからは受託開発にシフトしていきました」と野澤は語る。

「派遣の場合は、コンピュータの知識をつけてやれば、あとはお客様との話し合いで、作業や、技術に対する値段が付きます。これでは会社の発展もそれ以上に望めないし、自分の所にもノウハウが蓄積されない」

## 独自の設計思想が人づくりにつながる

自立・自助の精神。自力で問題を解決していこうという経営理念が人づくりの基本方針にもつながっていく。

受託にしても、自分たちが自力で開発し、技術やノウハウを蓄積していくことで一括請負方式を生み出していった。自分たちの得意技である組み込み系の技術を生かしながら自分たちの設計思想を顧客に売り込む。

組み込み系は、顧客からの注文も一社一社、その中身が違うし、個性的なものばかりだ。

「お客様からの注文は全部違いますし、製品ごとに違う。そういう面では、組み込みというのは、特殊な分野。機械、電機、そういう技術系の内容を把握していないと開発できない」

ＮＴＴデータや野村総合研究所、そして富士通、日立製作所といった電機・システムメーカー系列の大手ＩＴ企業は金融系のシステム構築に力を入れるところが多い。過去に銀行のオンライン化や証券会社のシステム構築をこれらＩＴ大手は主戦場にしてきた。

そうした大手の企業がひしめくＩＴ業界にあって、富士ソフトが独立系システム会社として生き抜き、しっかりとした地歩を築いてくることができたのも、組み込み系技術という得意技を持っていたからである。

他社とは一味も二味も違い、独自のシステム設計思想で勝負する。汎用的なシステムではなく、オンリーワンのシステムづくりということが社員たちに誇りと自信を与える。

そうしたシステムづくりを支えるのが人材。野澤が社員の育成に創業当初から腐心してきたのも、こうした経営の根本思想があったからである。

「社員の育成は大変だし、大事な経営課題です。当社のお客様といえば製造現場が相手ですし、研究開発、設計分野とそういうところがお客様ですから、こちらも製品の技術の話ができないと仕事は難しい」

ユーザーオリエンテッドなプロジェクトに打ち込むことで得られる仕事の達成感と誇り。その仕事は、システムを構築した後も保守、運用、点検などのメンテナンスが続く。ユーザーとの長い長い付き合いの中で相互信頼も生まれる。

## 技術の進化・深化は時代の変化と共に

一口に組み込み系といっても、時代の推移に伴い、応用分野も変化してきている。

先述のように、自動車産業ではＩＴ化が急速に進み、組み込み系ソフトウェアも今、この車載用でのニーズが高い。

ハンドルを回すと、角度を計算して進む方向を決め、前輪を動かす。その一連の動きはマイクロコンピュータが制御するわけで、その制御ソフトを同社は創り出す。

「マイクロコンピュータが車に搭載されるというのは比較的最近です。昔はＮＣ（Numerical Control 数値制御）だとか、工作機械への応用が多かった。機械を数値で制御する、それまで工作機械は工員さんの技に頼ってやっていましたが、デジタルでコントロールするようになり、マイクロコンピュータの技術が使われるようになった」

今から30余年前頃、ＮＣ装置メーカーとして、草分けのファナックの存在感が高まった。事実、日本のモノづくりの生産性向上でこのＮＣ装置の果たした役割は大きく、今もその存在意義は変わらない。

また、電話機がコードレス電話として発達し、今の携帯電話につながってきたわけだが、この携帯電話もソフトの塊だ。

スマートフォンや通信基地局も今はアナログの電波ではなくて、みんなデジタル電波に切り替わってきた。

マイクロコンピュータが通信機器をコントロールするようになり、それを動かすソフトの量も急拡大していった。

この通信分野のニーズは、ひと山越した感じだが、ニーズそのものは根強い。

このほか、医療分野もデジタル化が進み、組み込み系ソフトが使われている。

胃などの内臓や肺などの呼吸器系をレントゲンで撮影したりしているが、これも胃カメラで撮影し、それをデジタル処理で鮮明な画像にする検査手法が多くなってきている。

「画像をお医者さんが見て判断するのですが、今、それをＡＩが分析処理し、判断を支援するという動きになっています」

技術は進化し続けていく。

## 社長自らに退任基準を設けて

会社の発展を支えるのは結局、人である。社会に貢献する商品やサービスを送り届けるために、自分たちの得意技術を磨き上げていく。

そのためには、日々の努力が不可欠。このことは技術陣はもとより、営業、経理・財務、そして総務と各部署に求められる。

努力し続けている者は成果を上げる可能性が高くなって報われるし、陽の目を見ないまでも、そうした努力は誰かが見ているし、どこかで報われる。

そうした観点で、野澤は『昇降格基準』をつくり、努力した社員に報いる人事制度・報酬体系をつくり上げてきている。

業績を上げた者には、それにふさわしいポジションに引き上げていく。逆に、業績が振るわない者は降格があり得る。

技術開発で自分たちの得意技を創り上げ、社会に貢献できる企業経営を実践。それにふさわしい人事制度や報酬体系を築き上げるという野澤の考えだ。

「役員も、降任降格する際の基準を明確にしていく。その基準の大本として、社長の退任基準を決めた。そのとき、わたしは『3年連続で減収減益の決算になれば退任する』と取締役会及び社内に宣言したんです」

創業50年の歴史の中で、3年連続の減収減益になったことはない。「実際にそうなったら、経営としては大変なことですからね」と野澤。

ともあれ、企業経営は、緊張感を持って臨まなくてはならないという意識を全体で共有しようということである。

野澤は、創業から30年が経った2001年（平成13年）4月、社長を退き、会長に就任。1942年（昭和17年）5月生まれだから、満58歳のときであった。

創業から30年が経ち、30年ひと回りという思いがあったのと、「そろそろ社長を交代していかないと」とその2、3年前位から考え続けていた。

後継社長には、創業時からの生え抜き社員である松倉哲を選び、野澤自らは代表取締役会長に就任。

「一緒に創業した古手の松倉君に社長をやってもらったんです。わたしは助手席に座って、脇に付いているよという感じでしたが、その体制も長続きしなかった」という当時の心境。

こうして野澤は、社長を退いてから3年後の04年（平成16年）6月、代表取締役会長兼社長という肩書きになった。

その4年後の08年（平成20年）、社長にはみずほ銀行の役員経験者を選び、自らは代表取締役会長に就任。翌09年に会長、11年に会長執行役員となった。

野澤氏と、社長の坂下智保氏

創業者の野澤が01年に会長に就任してからの10年間は社長が2人誕生したが、それぞれ3年、4年で退任していった。

この間、会長の立場にプラス社長を兼任せざるを得なくなった。この会長兼社長時代（04年春―08年春）の心境について、野澤は次のように語る。

「社長の適任者を探していた時代ですね。取引先銀行から人材を招き、社長に就任してもらったんですが、なかなか社長というのは難しいですね。結局、その間、わたしが会長のまま社長もやらざるを得なくなる局面もありました。今の坂下智保が社長になって、やっと社長職を離れることができたということです」

坂下が社長に就任したのは、11年（平成23年）10月で9年が経つ（20年11月現在）。

人は自ら育つ――。社内の人材教育に当たって、野澤の基本的な考えだが、これは社長選任でも言える。

「社長の座は、自分がいつまでもやるわけにはいかないですからね。人物の養成というか、人物は育成してできるものではありませんので、それに向いている人を探さなければならない」

野澤が続ける。

「100点を取れる人はまずいない。120点取れる人もいない。でも、70点、80点は欲しい。そういう人に任せていきたいなと思うと同時に、やらせてみないと分からない所があります」

創業者に共通する後継社長選びの悩みである。

# 『逃げない、諦めない』――。課題に直面するたびに、この精神で

『逃げない、諦めない』――。課題の解決へ向けて、どんなに苦しくても耐え抜きながら、ソリューション（解決策）を見出していく。創業以来50年余、いろいろな事案や問題にぶつかり、それを克服しながら、顧客の信頼を得て、ここまでやって来ることができた要因は何か？システムづくりにはトラブルや障害がつきまとうが、そのとき絶対に課題から逃げないというスタンスが大事。この『逃げない、諦めない』精神が顧客の信頼を勝ち得ることにつながっていった。この社風について、野澤は「これは社員が1つひとつの仕事を通じて積み上げてつくった社風です」と社員の踏ん張り、奮闘に感謝する。『逃げない、諦めない』という社内風土はどのように形成されてきたか。

## 独立系最大手に導いた創業風土

『逃げない、諦めない』は、野澤宏自身の人生観であり、経営者としての信条でもある。

創業経営者として、この信条を社員1人ひとりに植え付けてきたのだろうと思っていたら、「いや、これは社員たちが1つずつ、自分たちの仕事を通じてつくり上げたものです」と野澤は創業して間

もない頃の事を次のように述べる。

「当時、ソフト開発で行き詰まった某会社は、社員も逃げてしまい、みんな散り散りバラバラになってしまったんですよ。それで仕事を発注したお客様も困ってしまう。自分たちはそうならないように、1つの仕事を請け負ったら、どんな事があっても逃げないぞと。課題解決まで、とにかく諦めずに考え、みんなで知恵を出し合っていく。うちがお客様の信頼を得たというのは、その逃げない精神があったからだと思います」

1970年代、野澤が創業して間もなくの頃、そうした事態が発注先と受注者の間で起きるのも珍しくはなかった。

富士ソフトが50年前、野澤の自宅(横浜市旭区)を本拠に、社員3人でスタートし、日本を代表する独立系のシステム開発会社としての地位を築いて行こうと、この『逃げない、諦めない』精神を基本軸に据えた。

このことについて、野澤は改めて、「社員たちがそういう会社風土をつくり上げてきました」と強調する。

システム構築にはトラブルがしばしば発生することがある。どの会社も創業したてのこの頃は、組織力も整っていないし、人材もそう多くはない。受注した以上、何とかしようと仕事に取り組むのだが、うまくいかない時もある。

「何日もかけてやっても、自分の能力では解決できそうにないと。そうすると、もう本当に辛いですよね」

徹夜作業も含めて、１週間かけたが、何も作業は進まなかったということもある。

富士ソフトの50年前のスタート時、英語のマニュアル（手順）頼りという場面もあった。ソフトウェアの技術を次々吸収しなければならない時期、それも翻訳なしのマニュアルで作業を進めなければならない創業期のことである。しかもマニュアルもしっかり整備されていない時代であった。「誰に聞いても分からず、あとは時間が解決するだろうって、開き直るよりしようがないと思ったこともありました」という野澤の述懐。

ただ、どんなに行き詰まっても、諦めず、その場から逃げることだけはしなかった。時間をかけてでも、解決していくぞという気持ちだけは持ち続ける。このことが大事なんだと社員１人ひとりが自覚を持って忍耐強く仕事を進めていく。

そうした基本姿勢でいると、顧客はどう対応してくるのか？

「お客様も困っているわけですから、お互いに解決するように動いていこうと」

実際、顧客の対応も企業によってマチマチである。共に課題解決に当たろうという姿勢のところもある。トラブル処理で予算をオーバーする費用がかかった場合、「良心的なお客様には費用を負担してもらいました」という。

しかし、予算が切迫した企業になると、企業の担当者も、「お前たちの責任だろう」と取り合わず、頑なな姿勢に出てくる。

トラブルが起きて、その修復を図り、課題解決へ向かっているうち、コストアップとなり、受注側の中には、八方塞がりとなって万事休すとなるものもいる。

「そうすると、逃げることを考えるケースが多くなってくる。もう、自分たちの手に負えないということで、もうカネは要らないから仕事を止めたいといって逃散してしまうケースですね」

しかし、逃散してしまっては、その企業の社会的信用はいっぺんに失ってしまう。

## トラブルは必ずある。それを耐え抜いてこそ

トラブルは、常に付きまとう。それを解決しようとして、最初は誰もが問題に当たっていく。しかし、途中で岐れ道が訪れる。

七転八倒しながら、何とか解決の糸口を探るが、そう簡単にコトは運ばない。その岐れ道で、もう駄目だ、手に負えないと逃げ出すのか、あるいは踏みとどまって、挑み続けるのかで、その後の人生は決まる。

その意味では、非常に人間くさい仕事ではないか？　と野澤に問うと、「１００％もう人間に依存した仕事ですから」という答え。

経営風土、社風は先輩から後輩へと受け継がれ、引き継がれていく。

「特に創業メンバーの松倉哲(あきら)君は、問題から逃げない、諦めないと言い続けていましたからね。

土性骨が受け継がれていくというか。後輩からすれば、頼もしい先輩たちということになるでしょうね」

松倉哲。前述の通り、創業時の社員であり、野澤が日本電子工学院でコンピュータソフトの教鞭を取っていたときの教え子である。そして、2001年、野澤の後を受けて社長を務めた。

『逃げない、諦めない』の社風は、「こうして松倉君たち社員がつくり上げていった」と野澤は何度も強調する。

人は自ら育つ——。これは、人材育成で野澤が強調する言葉。人が人を育てるのではなく、その人が自発的に問題意識を持ち、自らの意志で学んでいく。自ら考え、そして時には悩み、苦闘も交えて、物事の本質をつかんでいく。そういった環境を社員に与えることが経営の仕事である。

こうした人の育ち方についての考え方と、『逃げない、諦めない』の社風形成は底でつながる。

## 創業以来の日々の営みの積み重ねで

創業から50年余。自己学習の積み重ね、またシステム開発の際に発生する問題を苦労しながら解決していくことの積み重ねが社風を形成していく。

「ええ、そういったことの積み重ねですね。新しい技術や事業の開発プロジェクトに突入していくと、途端にトラブルが起きたりするもの。創業間もない頃は、そういう場面によく遭遇しました。

でも、それらを解決するためのノウハウも今は積み上げてきましたので、会社全体としても解決力や管理力が大分付いてきました。トラブルというのは本当に少なくなりました」

課題はいつでも、どこでも、誰にでも付きまとうもの。要は、それを解決していくぞという強い意志力である。

そうした思いが、課題解決へ立ち向かう原動力になるし、事実、そうやって課題やトラブルを乗り越えていった人たちは何より心強い存在である。

## 『挑戦と創造』を社是にして

課題を解決していく力——。これは今、自分たちが抱えている仕事を全うしていくためにも不可欠だが、新事業に挑戦していくことにも求められる要素。

創業以来コンピュータの急速な普及と技術革新によって技術者は新しいプロジェクトの開発領域に踏み出すとなると、未知の要素も出てきて、その分リスクは高まる。これまでの経験や知識をフル動員させながらリスクを予測し、開発に着手、そして作業を進めていく。リスクが顕在化した場合、経営の土台が揺さぶられないような配慮をしておくこともまた必要。かと言って、萎縮していては経営の進展はない。未来への投資も欠かせない必要不可欠のものだ。

2020年初頭にコロナ危機が日本にも押し寄せた。生き方・働き方改革が言われ、リモートワーク、在宅勤務も世の中に浸透してきたが、富士ソフトはパソコンを使った会議システムなども早くから導入済み。ペーパーレス化、リモートワークを支える新しい会議システムの同社製『more NOTE』（モアノート）は、すでに約３３００社が導入している。

得意の組み込み系技術を活用、発展させて、ロボット『ＰＡＬＲＯ（パルロ）』を開発したり、果てはバイオ・再生医療領域にまで参入。こうした新しい事業領域にどんどん挑戦していくためにも、課題解決力を普段から蓄えておかなければいけないという野澤の考え。

地に足を着けながら、未来へ向かって挑戦していく。

「挑戦と創造」――。

富士ソフトの社是である。こうした起業家精神を野澤は若い頃から持ち、創業以来、ずっと『挑戦と創造』の経営を展開し続けてきている。その『挑戦と創造』の力の源泉となり、原点となったものは何なのか？

そう考えたときに、筆者は幼少期に野澤の人となりと経営者になるべき資質が形成されていたのではないかと思う。

## 父親の背中を見続けて

以前にも触れたが、父・野澤喜平は明治41年（１９０８年）生まれで、10代の頃より当時最先端のラジオの技術者を目指し、昭和の初期から自分の店を持ち、ラジオの製造・販売を手掛け、1953年（昭和28年）に我が国で初めてテレビ放送が開始される頃、テレビ受像機の製造・販売に乗り出した。職人肌でモノづくりに打ち込む人であった。

テレビは、その後の高度経済成長や池田勇人内閣（1960―1964）の所得倍増政策などを背景に、瞬く間に一般家庭に浸透していった。

『三種の神器』。歴史的には、歴代天皇が皇位のしるしとして受け継ぐ鏡、剣、勾玉の3つの宝物を指す言葉。敗戦から10数年後、日本が高度成長期を迎え、所得も増えていったときに、一般家庭で求められたのがテレビ受像機、洗濯機、冷蔵庫の〝三種の神器〟であった。

その当時の最先端を行くテレビ受像機の製造を、東京・大田区の町工場を営む父・喜平は手掛けたのである。

時代の先を読んで、そこに自分も飛び込み、人々に喜びや感動を与えるモノづくりに打ち込む。父・喜平のそうした姿を身近に見ていて、野澤自身、小さい頃から、新しいモノを創ることに興味を持ち始めていた。

父・喜平が作ったテレビ受像機は『Star Vision』（スタービジョン）という商品名で、世田谷区や大田区の富裕層相手にある程度の商売になったという。

しかし、テレビ受像機は量産品で松下電器産業（現・パナソニック）や日立製作所、東芝、ソニーなどの大手電機メーカーが一斉に大量生産方式で製造し、販売に乗り出す。

「父もテレビを作り始めて、2、3年位はよかったのですが、5、6年後になったら、もう資本力のある、量産体制の大手家電資本に一気に蹴落とされてしまった。すでに手作りの時代ではなくなったということです」

野澤は今から70年近く前、父親がテレビ受像機製造に挑戦したときのことをこう述懐する。

「産業界の競争は実に激しい。その中を生き抜くために、自分はどの道を選択するか。コンピュータ時代が到来しつつあった1960年代、ソフトウェアのモノづくりに入っていった。父親はハードの世界、自分はソフトの世界と違いはあったが、〝モノづくり〟という点では同じ」

何より、『逃げない、諦めない』の精神という意味では、同じ基本軸の上に立っていた。

野澤氏（左）と創業時のメンバーで、社長も務めた松倉哲氏（右）（2001年）

# デジタル時代の今、多様性のある人材戦略で最先端を切りひらく！

デジタル庁の設置――。菅義偉・新政権の目玉政策の一つ。政権与党・自由民主党内には、日本のデジタル化の遅れを懸念する声が前からあり、富士ソフトが開発したペーパーレス会議システム『moreNOTE』を自民党は数年前に導入、ペーパーレス化を実践してきていた。「政治も大きく動き始めた」という感想を野澤は述べるが、新政策は国際競争力を付ける観点からも重要。同社はグローバル競争をいかに戦い抜くかという観点で、2010年（平成22年）に国際部を設け、アジアを中心に海外展開を進めてきている。それには事業拠点を各国に置かねばならないし、同時に人材の多様化も進めなくてはならない。新しい時代のニーズ、社会のニーズに応える新事業の掘り起こし、新しい人材の開拓をどう進めていったのか。

## デジタル庁設置へ、国もようやく動き始めた

菅義偉・首相は今年9月の政権発足直後、「デジタル庁を設置したい」と発表。与党・自由民主党内きってのデジタル通・平井卓也議員をデジタル改革担当相に据えた。

行政府のデジタル化・ペーパーレス化を早急に実行に移し、日本全体の社会基盤のデジタル化を促進させていこうという試み。東京・霞が関の各省庁のハンコ行政にも変革の波が押し寄せ、「行政の仕事のスピードを上げ、国民の負託に応える」という菅首相の考えが実践に移されようとしている。

菅首相は行政改革担当相に河野太郎（前防衛大臣）を据えた。デジタル改革担当相の平井と共に党内の若手実力者を要職に据えて、課題解決に乗りだそうという構え。

「政治が大きく動き出しましたね。岩盤みたいに一番動かない政治がやっとデジタルに目を向けるようになってきたなあという感じですね。一部の議員さんはこれまでも危機感を燃やし、先進的に動いている人もいましたが、これではいけないと全体が動き始めましたね」と野澤は感想を語る。

今回のコロナ禍は国民生活に、また産業活動にさまざまな打撃を与えた。感染者対策にしても、もっと政府や自治体の対応が素早く、効率的に、一元的に動けないものかということで、行政のあり方、社会基盤整備のあり方の見直しへと進んできた。

コロナ禍に遭遇し、なぜ日本はＰＣＲ検査数も他の国と比べて少ないのか、体制整備が整っていないのではないかという声が挙がった。対策のスピードが遅い背景に、デジタル化の遅れを指摘する声が強かった。

菅・新政権が９月に発足し、デジタル庁設置の動きとなったのだが、その具体的な姿をどう描いていくかが問われる。

デジタル化は規制改革とも絡んでくる。既存の仕組みや秩序を改革することとなり、既得権益者の抵抗を受け、作業が遅々として進まないということをわたしたちは経験してきた。

行政改革の歴史を見てもそれがよくわかる。

3公社（国鉄、専売公社、電電公社）の民営化を断行した中曽根康弘・内閣（1982―1987）のときを除けば、規制改革は遅々として進まない状況が続く。

「確かに、大きな岩盤はなかなか動かないと、こういう感じがしますけれども、響きは何か伝わってくるなあという感じがしますね」という野澤の感触。

3公社の民営化は成功した。国鉄がJR各社に生まれ変わり、電電公社はNTTに、専売公社は日本たばこ産業（JT）に生まれ変わった。もちろん、JRにしても、JR北海道やJR四国などは赤字路線に苦しんだりしているが、JR全体の流れからいえば、民営化は成功だったと評価していい。

当時の指導者、中曽根の首相としてのリーダーシップ、そして行革に参画した元経団連会長・土光敏夫や瀬島龍三（元伊藤忠商事会長）ら経済人のトップの使命感が融合しての行革の推進であった。

つまり、政治と経済の指導層のリーダーシップがあっての行政改革であったということ。

「ええ、そうですね。いかにリーダーシップを発揮していくかということ。未だに戦前の統制時代の名残があります。そうしたものが積み重なって岩盤となってきていますからね。そうした岩盤が崩されることに、日本人はナーバスですからね」

ＪＲ誕生（１９８７年＝昭和62年）、ＮＴＴ誕生（１９８５年＝昭和60年）から30数年が経つ。この間、郵政民営化（２００７年＝平成19年）があったが、規制改革という観点からは、各省庁の縦割り行政の弊害が言われ続けてきた。

今回、デジタル庁設置構想が登場してきた背景には、日本全体を考える場合に、このままでは、「世界の流れに取り残される」という危機感が高まったからである。

今、政権与党・自由民主党内にペーパーレス化の動きが強まっているのもその証左と言っていい。政策を決定する政務調査会（政調）がタブレットで会議や討論を進めていく姿勢を打ち出したばかり。

これまではどうであったか？「タブレットにしても、デジタルの仕事は秘書か事務局の仕事であって、自分の仕事ではないと。そういう意識の強い先生方が多かったんじゃないですか。それが、コロナ禍をきっかけに、意識が変わってきたという感じはします」

官民あげて、生産性向上を図っていくことは、コロナ危機を乗り切るためにも必要。こうしたデジタル化の推進へ、官民がそれぞれの知恵を出し合って、協力していくときだという野澤の訴えである。

## 上場会社・サイバネットで女性代表が誕生！

富士ソフトの創立は１９７０年（昭和45年）、まさにコンピュータ時代の始まりであり、独立系のソフトウェア・システム開発会社として発展してきたのはこれまで述べてきた通りである。

この間、東証コンピュータシステムの株式取得、そして金融分野のシステム開発を手掛けてきたＡＢＣ（エービーシ）との合併による救済などを体験、事業領域をどんどん広げてきた。

上場会社も、ヴィンクス（流通・小売り向けソフト開発）、サイバーコム（通信分野を中心にソフト開発）、そしてサイバネットシステム（自動車等の設計用ＣＡＥソフト販売やコンサルティング）、富士ソフトサービスビューロ（コールセンター業務、官公庁の業務も手掛ける）の４社がある。４社はいずれも東証１部・２部上場企業である。

ダイバーシティ（Diversity）、つまり多様性の時代にあって、多様な人材が富士ソフトグループ（連結での従業員数1万5200人強）には国籍、地域を超えて、それこそ多種多様な人材が集まっている。女性活躍の場も積極的に取り入れ、サイバネットシステムでは安江令子社長が誕生している。

安江の活躍については後述するが、１９６８年（昭和43年）１月生まれ。91年に津田塾大学学芸学部の数学科を卒業後、松下電器産業（現・パナソニック）に入社。

その後、米国シリコンバレーに渡り、約20年間現地で活動。最後はクアルコム（Qualcomm）で働いた。移動体通信の通信技術や半導体の設計開発を行う大手で、安江はトップセールスで鳴らした。

富士ソフトがグローバル展開を図るため、『国際部（現・国際事業部）』を設置したのが２０１０年（平成22年）のこと。世界的な金融危機のリーマン・ショックが起きたのが08年だが、野澤は次の成長をにらんで、グローバルに成長する戦略を立てようとしていた。

安江は2009年に富士ソフトに応募してきた人物。まさにグローバル展開の機運が高まっていた頃。

富士ソフトに入るため、米国人の夫や家族ともども日本へ帰国して働いていたが、ある事情で米国に戻らなければならなくなった。辞めるつもりで野澤に話に行くと「いやいや、カリフォルニアの自宅で在宅勤務をやってもらいたい」と励まされたという。

カリフォルニアと東京を往来するという文字通り太平洋横断の働き方が続いていたが、今回のコロナ禍で、「7月、8月はずっと日本にいます」と安江。2019年3月、サイバネットシステム社長に就任し、1年余が経つ。

その安江は危機管理体制の中で、ユーザー開拓に今日も飛び回る日々。

## いろいろな国から多様な人材が参集

『国際部』をつくった動機について、「以前から海外展開は考えていまして、主にアジア市場を開拓したいと思っていたんです」と語る。

こう切り出す野澤の口から、「孫任宏（そんにんこう）」という名前が飛び出てきた。

孫任宏。1968年生まれの今年52歳。中国の工業系の大学で学んだ後、千葉工業大学大学院で通信工学を修得。

富士ソフトには98年（平成10年）に入社。入社当時は、我孫子事業所に配属され、大手メーカーの拠点で勤務、本人によると、我孫子（あびこ）で相当に鍛えられたという。

「当社には、中国出身の社員もいまして、日本語も堪能で英語にも精通している人が多い。孫君もその1人です」

孫は現在、常務執行役員のポストに就いて、責任ある立場。

富士ソフトにはアジア各国からの出身者も多い。中国を筆頭に、韓国や台湾、それにインドも含めて、アジア系の社員は2百数十人に及ぶ。

「こちらが必死になって集めたというのではなく、アジア出身の技術者が自然と富士ソフトグループに集まってきたという感じです」と野澤。

日本に留学している外国籍の若者は就職フェアなどの集まりにも出席。そういった機会を捉えて入社してくる者もいるが、IT（情報技術）を専門にしている留学生の間で富士ソフトは知られた存在。

富士ソフトグループは実力主義。本人の実績が社内で評価されれば、ポストも上になっていく。

「社内の評価、社員の評価があって、皆さんのポストが上がっていくという仕組み。それで今日があるという感じです」

課長や部長といった管理職は役員陣が決めている。その役員（取締役）になるには、取締役会で決めるというやり方である。

## 身体の不自由な人たちと共に生きる！

多様性のある会社運営——。富士ソフトグループには、富士ソフト企画という会社がある。身体の不自由な人たちを雇用する会社だが、この会社を設立した動機について、野澤が語る。

「（身体の不自由な人たちの）法定雇用率を遵守しようというのが、まずは当社の大きなテーマだったんですね。それで雇用していたんですが、やはり彼らに稼いでもらわないといけない。給与も全部会社が補填し、雇用率だけを守るということになっても不自然ですし、それは避けたいなあということで、自立できるような形にしていきたいと」

富士ソフト企画は1991年（平成3年）1月に設立され、20年近い歴史を持つ。

設立当時、特例子会社制度が障害者雇用促進法で法制化された。身体の不自由な人たちを子会社で雇用し、社内の印刷物やコピーの作業など一般事務作業を1カ所に集約して仕事ができるようになった。

富士ソフトの特例子会社として認定されたのは2000年のこと。当時、富士ソフトは鎌倉・大船の自社ビルに本社を構えていた。その頃から、仕事の拠点が東京へ移り始め、大船のオフィスを活用しようというタイミングで、富士ソフト企画が入居した。

「身体の不自由な人たちが8割、そして健常者が2割という構成で、独立した会社として運営しています」

身体の不自由な人たちの雇用は大船が約１００人、横浜、秋葉原といった各オフィスに勤務する社員をあわせると約２００人になる。

「多様性のある企業経営を」という野澤の経営理念の実践である。

# 第4章

# 独自性のある経営を

## M&Aで新事業領域を開拓、うち4社は株式を上場

1970年（昭和45年）5月に創業して50年――。社員3人からスタートした富士ソフトは社員数約1万5000人の大所帯に成長、発展してきた。この間、石油ショック、バブル経済崩壊、リーマン・ショックなどの経済・金融危機、さらには阪神淡路・東日本大震災と大規模自然災害に見舞われる年をも経験しながら、富士ソフトグループは成長。現在、グループ会社としては32社。このうち、サイバネットシステム、サイバーコム、ヴィンクスの3社は東証1部上場。富士ソフトサービスビューロは東証2部に上場。成長・発展の間には、金融領域のシステム開発の旧ABCとの合併があり、また数社のシステム会社のM&A（企業の合併・買収）があった。業容拡大には再編成というドラマがある。

### 「変化はチャンスなり」

自動車や電子機器などの組み込み系・制御系のソフトウェア開発と金融、製造、流通業などの領域における業務系システムを2本柱に、コミュニケーションロボット『PALRO（パルロ）』に代表される

プロダクト事業、さらにアウトソーシング事業、そして海外事業とグローバルに経営を展開する富士ソフト。

１９７０年（昭和45年）５月の創業で２０２０年（令和2年）に50周年を迎えた。

ＮＴＴデータや野村総合研究所のように、ＮＴＴや野村ホールディングスなど既存の大企業をバックに歩いてきたシステム開発会社とは違って、富士ソフトは会長・野澤宏が創業した、独立系のＳＩ（システムインテグレーター）企業である。

富士ソフトは独立系のシステム会社として、日本最大のグループを形成しているわけだが、ここまで成長することができた背景には、野澤の「変化はチャンスなり」の精神がある。

この精神は、創業以来のもので、「常に新しい技術トレンドを取り入れ、時代の要請に応えていく」という実践につながる。

創業から50年の間には、いろいろな経済危機があった。

歴史的なものとしては、１９７０年代の２度にわたる石油ショック。第１次石油ショックは73年（昭和48年）秋に、第2次石油ショックは78年末から79年にかけて発生。産油国が石油価格形成の主導権を握り、自国の国力向上のために石油価格を引き上げた。

2度の石油ショックで石油価格は4倍以上に高騰、日・米・欧の先進国経済は打撃を受けた。

日本は、省資源・省エネルギーの産業構造にすべく、官民一体となって努力し、石油ショックを乗り越えていった。

80年代に入ると、当時、最大の貿易相手国・米国との間で貿易摩擦が発生。日本の対米貿易黒字を減らせ——という米国の要求に国内の自動車や家電・電機業界は矢面に立たされた。日本は、そうしたことを体験しながらも、80年代後半、財政・金融措置もあって、バブル経済と言われるような好景気を迎えた。

そのバブル経済が崩壊するのは90年代初め。90年初頭にまず、株式市場で株価下落が起きた。そして91年初頭には地価の下落が始まった。

このため、住宅ローンを扱う住宅金融専門会社（住専）の持つ不動産が不良債権化。当時の住専8社のうち7社の経営が行き詰まった。

政府はこうした住専問題の処理のため、当時の金で6850億円の公的資金を投入しようとしたが、これに反発する声も強く、国会での審議は紛糾した。

こうした住宅金融に端を発して金融危機は深まり、97年に山一證券、北海道拓殖銀行が破綻。翌98年には日本長期信用銀行、日本債券信用銀行が相次いで破綻。

金融界は生き残りのため、再編に向かい、今の3メガを主軸とする体制に整備されていったという経緯。

先述の住専問題を巡る論議が活発に行われていた95年、富士ソフトは同じシステム開発会社のABCと合併したのである。

## 創業して25年目、金融のABCを合併

ＡＢＣは金融分野のシステム開発で伸びてきた会社で、当時の店頭公開企業。この領域では老舗とされてきた。そのＡＢＣも、金融危機が深まるにつれ、仕事がなくなっていった。

富士ソフトは当時、メーカーや電機産業を主な得意先として、組み込み系や制御系のソフトウェア制作を主要業務にしてきた。

同じシステム開発の仕事といっても、金融系のシステム開発を手掛けるＡＢＣとは〝畑違い〟であり、野澤も先方の経営陣とは面識がなかった。

その野澤のところに、ＡＢＣの経営トップが突然訪ねてきて、「何とか、うちを買ってくれませんか」との申し入れを受けたのである。

「当社は、当時ＡＢＣさんとは取引も何もなかったんです。（同じシステム会社で）ライバルと言っても、わたしもよく知らないし、古い会社ですから、先輩会社ということは知っていましたけど、我々が売上高でも上回っていましたね」と当時の状況を野澤がこう振り返る。

当時のＡＢＣはバブル経済の崩壊で金融不況が深刻化し、金融機関から受注する仕事が激減。自社のエンジニアを各銀行に常時派遣し、システム関係の仕事を担っていたのだが、不況が深まるにつれ、そうした派遣要員も戻されていた。しかも、経営者の突然の病気により後継者が不在となっていた。

当時のＡＢＣ経営陣は、打開策として同業の大手システム会社への身売りを検討していたが、不況下ではなかなか引き受け手がない状態であった。

そして、富士ソフトのトップである野澤を訪ね、買収案を提案してきたのである。

相手の社長から、「買ってくれませんか」との提案にどう野澤は答えたのか？

「即座に、当社は買えませんと答えました。だけど、合併ならできますという話をさせてもらったんです。合併だと大きな資金は要らないですからね」

先方は、逆に野澤からボールを投げられて即座に返事はできず、考え込む様子。「うちはその時、そんな大きな会社を買うほどの余裕はない。それで借金してまで買うことはできないというこちら側の判断だったんです。それで合併がいいんじゃないですかと。合併だったら、やらせてもらいますよという話をしたら、相手さんも最終的に応じてくれました」

当時のＡＢＣ経営陣は、野澤の合併案に即答できず、会社に持ち帰って検討、約１カ月後に合併案に同意の回答を寄せてきたのである。

ＡＢＣは金融系・業務系のシステムの老舗とされてきた会社。富士ソフトの創業より数年早い設立だったが、後継者不在のため、将来に不安を抱えていた。

富士ソフトにしてみれば、創業（1970年）から25年経った時点で、合併という大きな節目を迎えたということである。

当時、富士ソフトの社員数は約１３００人、ＡＢＣは７００人ほどで一気に社員数が１・５倍に膨れた。合併の効果はあったのか？「金融系の営業基盤を強化できてエンジニアも増えた。出資ではなく合併ですから、メリットがありました。わたしにとっては大きなチャンス到来と考えました」

「金融系、業務系の分野に進出できるし、とにかくエンジニアが増えたことが一番嬉しかったですね」と野澤は述懐する。

## 「うちは中途採用が多く、出身は問わない」

野澤がＡＢＣの合併に踏み切る判断の１つに、ＡＢＣのエンジニア陣は顧客からの評判が良かったことがある。

ＡＢＣの顧客である各銀行のシステム担当者の所を回ると、「ＡＢＣの人は一生懸命やってくれた、という話をしてくれました」と野澤。

そのＡＢＣがじわりじわりと業績が悪化し、金融危機で一気に追い詰められてしまった。そこを『合併』という形で生き返らせることになったのである。

旧ＡＢＣ出身者の中には、常務執行役員の岡嶋秀実のように幹部になって活躍する人もいる。「うちは分け隔てがないです。中途採用の社員も多いですし、過去の経歴は何も関係ないですね。岡嶋君などはよく頑張ってくれています」と野澤。

## M&A 20社のうち4社が東証に株式上場

この50年の間に、ABCを入れて20社、M&Aを手掛けてきた。このうち、サイバネットシステム、サイバーコム、ヴィンクスは東証1部に株式を上場。そして富士ソフトサービスビューロは東証2部に上場。

サイバネットシステムは電機・機械分野の設計ツールであるCAEソフトが主力で自動車分野向けコンサルティングなども手掛ける。

サイバーコムは通信分野に強いソフトウェア開発。

ヴィンクスは、イオングループなど小売り・流通向けソフト開発を手掛ける。

富士ソフトサービスビューロはコールセンターやBPO（業務プロセスの外部委託）などを主要な仕事とし、マイナンバーや新型コロナウイルス感染症関連など行政サービスに関する仕事で業績を伸ばす。

先述したように、野澤はグループの中に、多様性（Diversity、ダイバーシティ）を取り込もうとしている。

いろいろな才能を持った人材が寄り集まってこそ、組織は活性化され、互いに啓蒙啓発して自分たちの潜在力を発揮していけるという考えだ。

## 東証コンピュータシステム買収の経緯

異色なM＆Aだったのが２００４年（平成16年）に行った東証コンピュータシステム（以下、TCSという）の買収だ。同社は社名を見ても分かる通り、元々、東京証券取引所の子会社だった。

ＴＣＳは１９６１年（昭和36年）６月、東証の機械計算部が独立して創業、60年近い歴史を持つ会社。

それが２００４年（平成16年）、富士ソフトに「出資しないか」という話が持ち込まれた。

東証の振替決済業務システムや市場情報伝達システムなど証券市場に関連するシステムづくりを手掛けてきた東証の子会社を紹介されたのだから野澤も当初はびっくりした。

野澤は、東証側ともじっくり話し合い、証券市場関連のシステムづくりは社会的にも意義があると判断し、出資話に応じた。

東証は正式な話し合いの中でＴＣＳを富士ソフトの傘下に入れることに合意。

ＴＣＳの現在の出資比率は富士ソフト約65％対東証35％で、東証は大株主だ。富士ソフトグループ入りしたわけだが、社名は以前のまま。

「東証さんに株式を持ってもらっているのは有り難いです。社名も、そのまま使わせてもらっています」

現在、富士ソフトはＴＣＳの親会社だが、東証は〝産みの親〟という関係。「そういう面ではうちと東証さんとはご縁があるんですよ」と野澤は語る。

このように、野澤は各方面との関わりの中でM&Aを実現させてきたのだが、TCSについては、「やはり東証さんの持っている膨大なシステムの一部を運用しているわけですからね」と気持ちを引き締めて、仕事をしていきたいと語る。

東証は、持ち株会社・日本取引所グループの傘下にあって証券市場を取り仕切る重要な会社。前社長の宮原幸一郎は野澤とは神奈川県平塚江南高校の同窓という関係。

「ええ、宮原さんが東証さんの社長になられたときに、ご挨拶にうかがい、『同窓ですか』と(笑)」

人の縁、人と事業のつながりを感じさせるM&Aである。

ABCの合併セレモニーに登壇する野澤氏(1996年)。
金融系、業務系に仕事の幅が広がった

# 多様性の企業文化を！ グループ会社・サイバネットシステムに女性社長誕生

『3150』――。野澤宏が1970年（昭和45年）5月、富士ソフトウエア研究所（現・富士ソフト）を創業したときに掲げた目標数値である。「売上を毎年3割ずつ伸ばし、利益は売上の1割を出せるようにし、1株当たりの利益は50円」という目標。創業から50年が経つ。〝1株当たり利益〟は創業時の目標をとっくに抜いているが、事業規模が大きくなるにつれ、〝売上を毎年3割ずつ伸ばす〟、〝利益は売上の1割〟は難しいテーマ。しかし、新事業領域を開拓し、毎年成長していくという挑戦者魂は年々強まる。そのフロンティア精神を定着させるためにも、野澤は「多様性を大事にしたい」と強調。サイバネットシステム社長を米カリフォルニア在住の安江令子が務めるなどダイバーシティの経営を推進していく方針だ。

## 社員3人の小所帯ながら、大きな志と希望を抱いて

「ゼロからスタートしましたから、社員が10人になった時、100人になった時ですとか、その時その時で、会社規模が小さければ小さいほど、目標を達成したときの喜びは大きいですよね」

専門学校の日本電子工学院電子計算機部に講師として勤務し、27歳でソフトウェア会社を起業。1970年当時住んでいた横浜・左近山団地の自宅の一室をオフィスにし、社員3人からスタート。

文字通り、資産ゼロからの出発。社員も専門学校時代の教え子で、それこそ朝から晩まで必死になってソフトウェア開発に励んだ。

そうやって、着実に売上を伸ばし、社員数も10人、20人、そして50人と増えていく。社員数が100人を超えたのは創業して9年目の78年（昭和53年）であった。

「無我夢中で仕事をしていた時期で、事業も年々伸びていましたし、100人を超えた時は嬉しかったですね」という野澤の述懐。

創業期の経営目標数値は『3150』――。

野澤と社員はまだ少人数ながら、ソフトウェアで世の中に役に立つ仕事を切り開くんだという使命感、そして挑戦意欲には熱いものがあった。

得意先を増やし、売上高は毎年3割増を果たす、利益は売上高の1割を上げるような質の高い仕事をしていく、そして、株主には1株当たり利益50円で報いようという目標である。

創業50年経った現在、1株当たり利益50円の目標はとっくに超えている（2019年12月期で250・4円）。

売上高の伸びはどうか？　19年12月期の売上高は2310億円強、その前の期（18年12月期）は

２０４３億円強で13％強の増収であった。

19年12月期の営業利益は１３２億円で売上高営業利益率は5・7％。売上高が大きくなり、連結の従業員数も約１万４０００人と増え、売上高で前期比３割増、売上高営業利益率で１割を確保するのは、そう容易なことではない。

このことについて、野澤は「『３１』は、なかなか難しいテーマになりましたね。今、新しい経営陣（坂下智保・社長体制）には、少なくとも売上高10％以上、２桁成長を目指して頑張ってくれと。10％成長が難しいのだったら、５％位は歯を食いしばってでもやってくれよと、こういう思いがあります」と現経営陣に期待を寄せる。

前述の通り、野澤は08年（平成20年）６月、66歳で代表取締役社長から代表取締役会長に就任。後継社長に経営の采配を託したことがある。

１年後に代表権を外して会長という肩書になったが、当時の社長と管理スタッフとのやり取りを見ていて、「組織が停滞する」と痛感させられる場面を見せつけられた。業績低下につながることを回避するには社長交代に踏み切らざるを得ないという判断に至った。

11年10月、会長執行役員となり、経営の現場に席を戻した。

会長兼執行役員と自身に執行役員という肩書を付けたのも、大所高所から経営全体を見る立場に加えて、現場も見ているよというメッセージをグループ全体に伝える必要があるという判断からであった。

この時、坂下智保（野村総合研究所出身）が代表取締役社長に就任したという経緯である。

そして、野澤は創業50周年を迎える２０２０年（令和2年）の３月、代表権を外して取締役会長執行役員となった。会長と経営の現場との関係はどうなのか？

「会長になった時点で現場は遠いですよ。もう社長を譲った時点で、現場とはすでに距離があるという感じですね。いろいろな思いがありますが、今は社長が手堅くやっていますから、会長として現場を回る必要性はありません。かえって現場をかき回してはいけないし、邪魔してはいけないと、こういう感じの方が強いですね」

ともあれ、富士ソフトは創業時に社員３人と共に出発、自分たちの将来を自分たちの手で切り開いていくぞとフロンティアスピリッツで挑戦してきたという歴史を持つ。

その歴史を振り返ったとき、創業時の『３１５０』を今に生かして欲しいという野澤の思いである。

## コロナ危機をいかに克服、どう生き抜くか

コロナ危機をいかに克服し、生き抜くか—。２０２０年は日本でも新型コロナウイルス感染症が発生、国全体でその対応に追われた。

経済も打撃を受け、経済再生と感染症対策の両立という国民的課題に直面し、新しい生き方・働

き方が求められている。

新型コロナウイルス感染症はパンデミック（pandemic、世界的大流行）となり、世界経済全体にも深刻な打撃を与えている。

人類の歴史は感染症との闘いの歴史でもある。歴史的に有名なのは14世紀のペスト、19世紀のコレラなどがあるが、21世紀に入っても、ＳＡＲＳ（重症急性呼吸器症候群）やＭＥＲＳ（中東呼吸器症候群）などが登場。

今回の新型コロナウイルス感染症は19年末、中国・武漢で発生し、瞬く間に世界中に広まった、まさにパンデミックである。

この新型コロナウイルスのように動物から人に感染する『人獣共通感染症』については、今後も警戒が必要だ。

「微生物というか、ウイルスの領域も含めて、超ミクロの世界になると、まだまだ解明しきれていないことが多いのだと思います」と野澤が語る。

各国の科学者が参加する政府間組織、『生物多様性及び生態系サービスに関する政府間科学・政策プラットフォーム』（IPBES）が20年10月にまとめた報告書によると、「哺乳類などには170万種の未知のウイルスがおり、うち63万1000から82万7000種が人に感染する可能性がある」という。

地球が誕生して46億年。この悠久の時間の流れの中で、微生物の登場は約20億年前だといわれる。

人類の祖先、ホモ・サピエンスが登場したのは約20万年前で、人間は地球上では新参者。まだまだ、人類にとって、「未知のことが多い」ということ。今回のコロナ危機でも、世界中が共に手を取り合い、共存共栄の道を歩いていく時だという思いは世界中の人々に共通する。

その意味で、互いの違いを認識しながらも、共生していく方向で新たなグローバル時代を構築していかなければならない。

20年11月3日に行われた米大統領選で、民主党のジョー・バイデン氏（元副大統領）が次期大統領に選ばれたのも、米国はもとより世界各地で「分断・分裂」が進む現状を変えたい――という気持ちが多くの有権者に共通していたからだと思う。

いかに、みんなで知恵を出し合い、この危機を乗り切るかという大事な時である。

国にとっても、また企業経営にとっても、危機管理は非常に重要なポリシーである。特に、企業にとってはＤＸ（デジタルトランスフォーメーション）が進む今、どう環境変化に対応し、自らを変革し成長していくかという命題を抱える。

## クアルコムから転じた安江令子の〝日米往還〟

米中対立、米トランプ政権の自国第一主義などにより、グローバル経済も紆余曲折があったが、産業界はこれからの成長を考えたときに、真の意味のグローバル化は避けて通れない命題。

富士ソフトはすでに10年に国際部（現・国際事業部）を設置。海外での拠点づくりと併せて、人材の多様化を推し進めてきている。「国籍にこだわらず、良い人だったら採用していく。この基本方針に変更はありません」

野澤はこれからの富士ソフトグループの運営の基本的な方向についてこう語り、「人材の多様化は大事な視点です」と強調。

富士ソフト本社には、先述したように中国韓国などアジア系を中心にいろいろな国籍の技術者約２００人が在籍する。

この多様性と併せて、女性の活躍も最近は目立つ。

例えばサイバネットシステムで社長を務める安江令子（１９６８年1月生まれ、津田塾大学卒）もその１人。

サイバネットシステムは設計用ＣＡＥ（computer aided engineering）ソフトウェア販売を主力業務に事業を展開。主な顧客は電機・エレクトロニクス業界で、質の高いＣＡＥソフトウェアとサービスが売り物。

そして、デジタル社会のセキュリティをいかに確保するかという時代のニーズに応えるべく、セキュリティソフトウェアの販売にも注力。近年は自動車産業向けのコンサルティング業務にも力を入れている。

同社は１９８５年（昭和60年）４月、スーパーコンピュータ開発のパイオニア、米ＣＤＣの日本法人・日本シーディーシーが事業を分離して発足させた。

その後、神戸製鋼所の傘下に入ったが、99年(平成11年)10月、富士ソフトが同社の発行済株式100%を取得し、富士ソフトの完全子会社となった。

そして、2003年(平成15年)に東証2部に株式を上場、翌04年に東証1部に上場したという経緯。

同社は、20年12月期の売上高は約220億円(19年12月期─比7億円増)、営業利益は約20億円(同0.4億円増)を見込む。所有する現預金は約100億円、有利子負債はゼロで完全無借金会社。19年12月末の自己資本比率は70・0%という好財務体質を誇る。社員数は約600人。

社長の安江は大学卒業後、松下電器産業(現・パナソニック)に入社。その後、米国シリコンバレーで働いて、IT(情報技術)領域の経営トップや起業家とのパイプが太い。

安江のシリコンバレーでの仕事は約20年間に及ぶ。その最後には、半導体の設計・製造で知られる米クアルコムに転じた。同社のサンディエゴ(カリフォルニア州)本社で営業に従事、「トップセールスでバリバリやってきた」というこれまでの経歴である。

母校の津田塾大学は津田梅子が明治期に設立した女子大学。江戸期から明治へと大きく時代が転換するとき、若き津田梅子は米国へ留学。フロンティア精神を内に秘めた梅子は女子教育に一生を捧げ、同大学は数多くの人材を輩出した。

ディー・エヌ・エー(DeNA)創業者で会長の南場智子(1962年生まれ)も、その1人。

米クアルコムは携帯電話のＣＤＭＡ方式で一世を風靡。90年代後半から２０００年代初めにかけて、日本では〝ガラパゴス〟の時代といわれる頃、安江はこのＣＤＭＡ、さらにはＷＣＤＭＡのチップを日本の携帯機器メーカーに売り込んでいた。

安江はスマホ半導体の覇者クアルコムで頭角を表し、存在感を遺憾なく発揮。

その安江がクアルコムを辞め、富士ソフト入りを決断する。

安江は今も米カリフォルニア州に家を持ち、一人娘の元にひと月に一度は戻り、日本と米国を往来しながらサイバネットシステム経営の采配を振るう。経営者のグローバル時代における〝新しい生き方〟を実践する日々。

「多様な人材が企業の成長を促す」——。野澤の経営観である。

インタビュー

# 独立系ソフトウェア会社としての使命感に共感して

## サイバネットシステム社長　安江令子

**——なぜ、安江さんは富士ソフト入りを決断したのか、その動機を聞かせてくれませんか。**

**安江**　わたしは米国のシリコンバレーで20年位働いていて、最後はサンディエゴのクアルコムでチップ・半導体の販売でバリバリやっていたんですが、日本でグローバルな事業に携わろうと思い、いろいろと調べ、富士ソフトに入ろうと自分で決めて、応募したんです。

そのときは野澤会長にはもちろんお会いいただいていないです。普通の応募の方法ですからね。部長さんなど幹部の方々の面接でしたが、そのときからずっと会長にお会いし、自分の思いを伝えたいと（笑）。

**——その時の思いとは？**

**安江**　あの頃の携帯はガラパゴス時代です。クアルコムのCDMAが使われていて、WCDMAも並行して使われるようになり、NTTドコモさんだけがなかなか使わなかったんですが、あと10数社の大方の端末メーカーさんには使っていただきました。

その後、台湾のＨＴＣ勢が日本に参入、サムスンが来て、同じ韓国のＬＧも来た。その間にファーウェイも来てといった調子です。日本の電機メーカーがガタッと勢いを失った瞬間を目の当たりにしました。

**――それで安江さんはどう動いたんですか。**

**安江**　わたしは日本に出張に来ては、日本の大手携帯端末メーカーのトップの方々に『今の状態はまずいですよ』という話をさせていただきましたが、どなたにも現実の危機感を感じてもらえないという状況が続きました。そのとき、これはサンディエゴであぐらをかいている場合ではないと感じたんです。人生の中であと1回位しか大きな仕事はできないだろうと思って、日本に帰ろうと決めたんです。

帰るとなったら、いろいろな会社の方からお話をいただいたんですが、わたしはオーナー企業でグローバルで事業ができる会社にしか入らないと考え、自分で富士ソフトに入ろうと決めたんです。

**――そのときの安江さんの富士ソフトに対する認識は?**

**安江**　約50年前に富士ソフトウエア研究所が立ち上がった当時、日本の産業界は製造業中心。ハードウェアの設備投資に躍起になり品質向上においてもハードウェア中心の考え方。そこでソフトウェアは手薄になるはずだと。そこに優秀なソフトウェアエンジニアを集めて教育し、製造業が必要とするソフトウェアを富士ソフトが作っていく。富士ソフトにはノウハウがどんどんたまり、それを共通化していく。こうしたことを野澤会長が自分の頭で考え、実行されてきたということで、ものすごい経営者がいらっしゃると思いました。

**――その考えに共感したということですね。**

**安江**　はい、独立系でそれをやってこられた。それを知ったとき、もう震えが止まらなくて、こういうビジネスモデルをお１人で考えられて、ここまで成功される方の側で働きたい、絶対成功したいという思いで日本に帰ってきました。

**――シリコンバレーで世界の動きを文字通り、生身で五感で受け止めてきた安江さんですが、日本企業のグローバ**

野澤宏・富士ソフト創業者（左）、安江令子・サイバネットシステム社長

**ル世界での立ち位置をどう見ますか。**

**安江**　日本のグローバル化は、本当に壁が厚く、ハードルが高くて、1人の思いだけでは絶対何も動かないんです。まして会社をグローバル化するというのは、オーナー企業でないとできないと自分の信念として持っていました。

懐が深く、大ナタが振るえる、大胆な決断ができるオーナーを、そうした経営者の方をずっと探していて、富士ソフトを志望したという次第です。

## 「持たない経営」から「持つ経営」へ
### 東京・秋葉原ビル、横浜・桜木町の本社ビルなど高層ビルを自社所有

恒産あれば恒心あり——。横浜のＪＲ桜木町駅東口にそびえる21階建て超高層の富士ソフト本社ビル。そして東京・ＪＲ秋葉原駅前の超高層ビル（31階建て）は東京の本拠。いずれも富士ソフトの自社所有。同社は、人も固定資産もソフトウェア企業にとって、非常に重要な経営資源として、『持つ経営』を標榜。「人を大事にする。そして活躍してもらうためには、こういう自社ビルというのは、何より社員が一番喜びます」と野澤は語る。産業界では、本社ビルはその土地を含めて売却し、借りるというやり方も少なくないが、「ずっとそのビルを使うとすると、中長期に見て、自分で持った方がコストは安い」という野澤の判断。東京、横浜だけでなく、名古屋、福岡など自社所有の大型ビルは22棟に上る。『持つ経営』の真髄とは。

#### 東京・秋葉原ビルは31階建て、横浜の本社ビルは21階建て

独立系ソフト会社で大手の富士ソフトの社員数は約１万５０００人。これらシステムエンジニアを中心に社員たちが拠点とするオフィスは多くが自社ビルである。

ソフトウェア開発会社にとって、「人は財産」というのが野澤の持論。その野澤が自社設計・自社建設のビルを持つことのメリットについて語る。「人を大事にする。やはり活躍してもらうためには、こういう自社ビルというのは何よりも社員が一番喜びますよ」

目に見える資産価値ということ。不動産会社や他の会社が所有するビルに居を構えるより、自社所有ビルに入った方が、社員の誇りにもつながるという考え。

日本で最大の電気街であり、ＩＴ関連商品を扱う店が立ち並ぶ東京・秋葉原の空にそびえる富士ソフト秋葉原ビル（31階建て）。この秋葉原オフィスに所属する社員は約７００人。

そして、横浜の繁華街・桜木町にある本社ビル（21階建て）。さらにはＪＲ錦糸町駅そばに建つ16階建ての富士ソフト錦糸町ビルと、同社は秋葉原、横浜、錦糸町に超高層ビル３棟を所有。

いずれもＪＲの主要駅そばに立ち、社員の通勤には至極便利な立地となっている。

## 自社ビルを持つ意義

さらに首都圏では、鎌倉（神奈川）に３棟、厚木（同）に２棟、我孫子（千葉）に３棟、八王子（東京）に２棟の自社ビルを所有。

都内では今、ＪＲ新橋駅に近い汐留に２棟を建設中。都有地を約１５０億円で落札し、業容拡大に備えていこうというもの。イタリア街で知られ、新橋・汐留界隈のオフィス街として最近人気を呼ぶ。

同社はビルオーナーとしても知られ、自社所有ビルは合計22棟。汐留の2棟分が新しく加わると計24棟にもなる。

経営的には、自社ビルを持つことの意義とは何か？「やはりコストです。コストは圧倒的に安い、長期間で償却を考えますとね」と野澤。

一定期間の途中で、元が取れるということか？「すでに二十数棟ありますが、坪当たりの減価償却費と近隣のテナントオフィス賃借料相場を比較すると、十分メリットが出てくると考えています」

これだけのビル所有数になると、中には売ったりするケースも出てくるのでは？という問いには、「子会社に売ったことはあります。でも、これは身内のやり取りですからね」という返事。

## ＪＲ主要駅そばの土地入札に応じ、次々と落札

秋葉原、桜木町、錦糸町とＪＲ主要駅そばで交通の便の良い土地を入手できるきっかけは旧国鉄清算事業団の所有土地が売りに出されたこと。

旧国鉄（日本国有鉄道）の再生のために、分割・民営化が実施され、旧国鉄の負債を少しでも軽減しようと、清算事業団の手で資産処分が進められた。

秋葉原には広大な操車場があり、不要になったその操車場跡地を売却するということになったのである。

「ええ、清算事業団が入札を実施するという公告を主要新聞に出したのですね。その公告を見て応札したということです」

それで、同駅北口の現在の秋葉原ビルが建つ土地に応札し、落札した。

秋葉原の土地を入手したのは２００１年（平成13年）。日本経済は１９８９年末に日経平均株価が最高値を付けた後、90年代初頭に株価が下落、次いで地価も下落し始め、バブル経済の崩壊といわれた。

以後、経済全体は低迷期に入り〝失われた10年〟、あるいは〝失われた20年〟の時代に突入。日本は90年代後半にデフレ基調にもなり、重苦しい空気が日本全体に流れていた。金融機関も生き残りのため、３メガバンク（三菱ＵＦＪ、三井住友、みずほ各グループ）を軸に再編成が進み、再スタートを切って間もない頃であった。

そうした時期に、自分たちのシンボル（象徴）となるオフィスビルを建てようと、野澤は動き出した。

超高層の秋葉原ビルが落成したのは07年2月。

それより3年程前の04年3月、横浜・桜木町の本社ビルが竣工しており、富士ソフトの自社ビル戦略が注目されると同時に、富士ソフトの存在感も一気に高まった。

00年、桜木町駅前のJR所有の土地売却のときは景況感が悪く、応募者は富士ソフト以外、どこも現れなかった。「こんな時に、土地を買って、大丈夫か？」――。こんな声が野澤のもとにも寄せられた。

その頃は、産業界の一般的空気として、本社の土地やビルを証券化して売却、それで財務体質を改善し、賃料を払う、いわゆる「持たない経営」というモデルが流行り始めていた。

そういう世の流行とは一線を画し、「富士ソフトは『持つ経営』です」と野澤はビルと土地の自社所有に動き、自らの経営理念の実践を進めていった。

## 創業期、資産はゼロだが志は高く！

『持たない経営』から『持つ経営』へ――。50年前の1970年（昭和45年）に起業したときは野澤と社員2人という小所帯で出発。

会社の登記も、当時自らが居を構えていた横浜・左近山団地の一室。文字通り、資産ゼロの状態からの出発。

資産はゼロだが、野澤と社員の志と使命感には熱いものがあった。

創業当初、社名を『富士ソフトウエア研究所』と名付けたというところにも、その心意気が感じ取れる。

多少、前のめりに言えば、日本のモノづくり（製造業）の生産性を上げていくにはソフトウェアの力が必要ということである。そうした使命感を持ち自分たちも貢献していきたい――という思いが野澤にはあった。

創業期だから、資産は何もない。ただ、自分たちは新しい技術を身に付け、新しい時代のニーズに応えるのだという志はあった。

そうは言っても、志だけで食べられないのも現実。創業当初の糊口をどうしのぐかということだったが、これも、「新しい技術（ソフトウェア）の翻訳などで何とか売り上げを立てていった」と野澤は振り返る。

社員2人は、野澤が専門学校（日本電子工学院＝現日本工学院）の講師を務めていたときの教え子。だから、教え子から社員に転じた2人は野澤と志を共にしていたから、結束は固い。

## ソフトウェアの会社にとって「人」は財産

仕事は忙しく、野澤も2人の社員もとにかく、「一生懸命に働いた」。

社員2人は、自宅に帰る時間も惜しいというので、野澤の左近山団地の自宅兼オフィスに三日三晩泊まるという日々もあった。そんな野澤と社員2人の食事を3食毎日世話しなければならない野澤夫人が大変だったと思う。

「ええ、家内には随分苦労をかけましたが、全員がまだ若かったですからね。苦にはならなかった」という野澤の述懐。

社員2人のうち、1人は後に富士ソフトの社長になった松倉哲である。同志的結合という感じだが、「ソフトウェアの会社にとって、人は財産です」という野澤の経営感覚はこの創業当初からあり続けた。

そして、オフィス（事務所）の有り様である。横浜・左近山団地の〝自宅兼オフィス〟は3カ月で終わり、野澤は東神奈川のマンションにオフィスを移した。

このオフィス移動の経緯は前述したが、東神奈川の次は同じ横浜の新子安と移っていった。前述のとおり、新子安の次に、東京・隅田川沿いの中央区湊三丁目、そして新宿区四谷三丁目、さらに北品川へと移転。この頃は1年間で10回ほど移転を繰り返し転々とした。仕事のある所を追い求めて、転々としたと言った方が正確かもしれない。

この間、本社の登記は左近山団地にしておいた。「しょっちゅう引っ越すので、いちいち登記を変更していては面倒ですしね」と野澤は登記上の本社を左近山団地にし続けた理由を語る。

そうした下積みを経験しながらも、「絶対、下請けではなく、元請けになる」という志を野澤たちは持ち続けた。

そうやって、左近山団地を本社にしながら、仕事を拡大し、東京事業所、鎌倉事業所という形でオフィスを発展、拡大させていった。

## 鎌倉事業所に見るオフィスビルの原点

鎌倉事業所は、同社発展の礎をつくったと言ってもいい所。鎌倉市大船には三菱電機鎌倉製作所がある。ここで、野澤は三菱電機から、「一括で任せる」という仕事を受注した。

東京のシステム同業者には、大船は都内から少し遠いという感覚があり、野澤は攻め所として、「狙い目だ」と考えていた。

当初、三菱電機側からは、「子会社、菱電エンジニアリングがあるので、ここを通してくれないか」と言われていた。そのやり方だと、孫請けの仕事になるので、「直にお引き受けしたい」と言い、やんわりと断っていた。

たまたま、野澤の大学時代の友人が三菱電機鎌倉製作所に勤めており、その友人を通じて、ある課長を紹介してもらった。ソフトウェア開発に携わる技術者を束ねる現場の課長である。「その課長さんは、うちの社名を捉えて『富士ソフトウエア研究所という社名がいいよね』と言ってくれましてね。この一言がすごくわたしの印象に残っているんですよ」

話が通じ合い、すぐ打ち解ける関係になった。「何となく技術の高さを感じたんじゃないですか。ところが、実際に付き合ってみると、『何だ、まだ出来立てで、学生を集めてやっている会社か』と、すぐバレましたけど(笑)。それでもいいんだ、うちが育てるから、良い人材を派遣してくれ、こういう話でしたね」

富士ソフトウエア研究所としては初めて受注した仕事。社員たちはみんな懸命に働いた。「とにかく、うちの社員は真面目。時々、現場を見に行くと、みんな徹夜で頑張ってくれているんです」

三菱電機の社員たちは一部の技術者を残して午後5時になると帰宅。その後は富士ソフトウエア研究所の社員たちがコンピュータを使って徹夜仕事をしている姿に、野澤もトップとして心を打たれた。「一生懸命に生き、そして働く。みんなが一生懸命にやってくれました」

ソフトウェア開発は、きわめて人間っぽい仕事であり、改めて、野澤は人の集団だということを痛感させられている。

鎌倉には今でも同社のオフィスビルがある。

オフィスビルは自分たちの仕事の拠点という考えは、この創業当初の鎌倉での仕事で固まっていった。

東京・秋葉原駅近くに建つ「富士ソフト秋葉原ビル」

コロナ危機でオフィスの有り様について、いろいろな考えが登場してきたが、オフィスは人と人のコミュニケーションの場という位置づけは今も変わらない。

# 創業20年を機に『全日本ロボット相撲大会』開催——。全国の工業高校生の能力掘り起こしへ

『全日本ロボット相撲大会』。富士ソフトが創業20周年を記念して、1990年（平成2年）に第1回大会を開催。以来、毎年開かれており、参加者は自分たちのモノづくりの力をこのロボット相撲で競い合う。大会は、本大会（一般の部）と高校生の部に分かれる。高校生の部は、全国工業高等学校長協会が主催し、富士ソフトが協賛。工業高校生たちも、自分たちの力を試したいと勝ち残ったチームが本大会に出場して、大人のエンジニアたちと対戦するのも、このロボット相撲ならではの醍醐味。工業高校生と有名企業のエンジニアが対戦し、結果はどうなのかというと、「アッという間に工業高校生の天下になってしまった」と野澤。若者の能力掘り起こしにつながるロボット相撲の発想はどこから生まれたのか——。

## 米MITのロボットづくりに触発されて

ロボットを力士に見立てて、対戦相手を土俵から押し出せば勝ち——。この押し出しを先に2回決めた方を勝者にするという『全日本ロボット相撲大会』。このロボット相撲は、相撲人気とも相ま

って、世界中に広まり、今では世界35カ国で開催されている。

富士ソフトが、この『全日本ロボット相撲大会』に取り組むきっかけとは何だったのか？

「米国のＭＩＴ、マサチューセッツ工科大学の学生がロボット同士を戦わせる競技をやっているのをテレビで観ましてね。これは面白いぞ、日本でやるんだったら、相撲だなあとピンと来ましてね」と野澤は語る。

当初、理工系の大学生向けの大会にして、自社の知名度を上げるイベントとして企画した。しかし、「わたしの見込み違いでありまして、大学生よりも工業高校生が乗ってきたんですよ」と野澤は語る。

ロボット相撲の企画について、学校教育を所管する文部科学省も「ぜひ、工業高校生のための大会を開いて欲しい」と後押ししてくれた。

現実の産業社会でモノづくりを担っているのは産業界。それで、ロボット相撲大会を『一般の部』と『高校生の部』に分けて運営。『高校生の部』は、公益社団法人・全国工業高等学校長協会が主催し、富士ソフトが協賛。本大会は富士ソフトが主催し、全国工業高等学校長協会などが後援するという形で運営することになった。

工業高校で強豪とされる所をはじめ、高校生の間でも、「一般の人とも戦いたい」という空気は強かった。

そうした高校生の気持ちを汲んで、高校生が一般の優秀なエンジニアと対戦する場面もあり、本大会も盛り上がる。

一般の部には、世界から優秀な選手（エンジニア）が集まるし、モノづくりの関係者にとって大変刺激的な本大会だ。

高校生側にとっても、『高校生の部』で優勝しても、本大会で勝たないと日本一になれない――ということで、本大会に出場したいとの気持ちが強かった。

事実、意気込みは高校生側が強く、一般の部のエンジニアチームを打ち負かすケースが出てきた。

「アッという間に、工業高校生も社会人と互角の戦いを繰り広げるようになりましてね」と野澤も高校生の知力、気力、そして胆力を賞賛する。

本大会で面白いのは、工業高校のOBと現役生徒、そして時には先生のチームと対決する場面も出てくることである。

「2019年（令和元年）は、香川県立観音寺総合高等学校を卒業して1年目のOBが母校の場所を借りて後輩を指導して、自分のマシンも磨き上げて、一緒に出てきました。先生も出場するんです。やはり、興味があるようで生徒を指導しているうちに自分も作りたくなってしまうんでしょうね（笑）。同校対決で先輩と先生と高校生が対決したりする」

現役高校生が先生との対戦、つまり師弟対決を制するという場面も出て大会は盛り上がる。

最近は「工業高校生が自信を付けてきて、先生の言うことも聞かずに、自分たちでロボットを作り上げてしまうと。先生たちも煽られているという話もあります（笑）」と野澤も大会の盛り上がりに満足げだ。

いま、東京と地方の格差がいわれるが、全日本ロボット相撲大会を見ると、東京などの大都市の高校よりも、地方の有力工業高校の健闘が目立つ。

２０１９年の本大会を制したのは三重県立四日市中央工業高校のＯＢであった。四日市の工業地帯の中枢部にある名門工業高校。

九州地区でいえば、福岡工業大学附属城東高校や大分県立大分工業高校も強豪校だ。

大分も１９６０年代に推進された『新産業都市』の指定を受けて以来、工業集積が進んだ所。日本製鉄、住友化学、昭和電工、さらにはキヤノンなどの有力企業が拠点工場を構え、社会インフラ（工業基盤）が整っている。

先の四日市中央工業高校もそうだが、大分工業高校にしろ、そうした土地柄もあり、人材が育つということであろう。

また、沖縄県立沖縄工業高校もロボット相撲の強豪校として名を馳せる。

高校野球もそうだが、ロボット相撲も地元の熱い声援を受けて出場してくる。

「はい、皆さん、地元の声援を受けており、優勝すると大変ですよ。地元の新聞に記事が載るし、地元の市長への報告会もあったりしてね」と野澤は語る。

## 地元の声援の下に参加、歴史を刻むイベントに

母校の街の大通りに、『祝・全日本ロボット相撲大会優勝』という横断幕が張られる。「富山県立大沢野工業高校が１９９８年（平成10年）に優勝した時がそうでしたね」

大沢野工業高校。１９５９年（昭和34年）、富山県立富山工業高校大沢野分校として出発した同校は１９６１年（昭和36年）大沢野工業高校として独立したという歴史を持つ。旧富山県上新川郡大沢野町（現・富山市坂本）に所在地があり、『創造・至誠・進取』を校訓にフロンティア開拓に燃える教育を行ってきた。

「大沢野工業高校のように先生が教育に熱心な所は強いですね。これは高校野球と同じですね」という感想を野澤は述べる。

全国各地に、熱心な先生がいて、知識を貪欲に吸収しようと誠実に努力する生徒たちがいる工業高校が随処にある。

そうした工業高校が一堂に会してモノづくりの技を競い合う。この時の体験は、各出場選手の青春の一ページとして、ずっと心に刻まれていく。

全日本ロボット相撲大会が始まって２０２０年（令和2年）で30年が経った。30年という時の流れの中で環境変化が起き、社会の仕組み、教育制度も変わってくる。

人口減少、少子化・高齢化の波の影響は特に地方に強く出て、各地で公立学校の再編・統合が進

む。

富山県立大沢野工業高校は２００９年（平成21年）県立富山工業高校と統合が決まり、２０１２年（平成24年）３月に最後の卒業証書授与式と閉校式が行われた。

そうした歴史を刻みながら、全日本ロボット相撲大会は続いていく。

## 一体感が生む向上心

人と人の出会いが生徒たちをたくましく育てあげていく。先生、先輩、仲間たちとの出会い、そしてロボット相撲大会では社会人、世界のエンジニアとの出会いがある。

ここ数年の大会では、全国大会まで進出すると世界各国の大会で上位に入賞したエンジニアたちと横綱の座をめぐって戦うことになる。

「試合が終わったあとにはお互いに教え合ったり、本番で力を出し切れなかった選手たちがぶつかり稽古のようにいつまでも練習試合をしたりしています。ろくに言葉が通じなくてもエンジニア同士通じるものがあるようですよ。」

工業高校の生徒たちの貪欲な学びの意欲。そして何より強いのが実習科目での演習。

「やはり授業で最適な実習科目がありますし、いろいろな工作機械も使える。電気材料も揃い、メカトロニクスの世界なんですよ」

メカトロニクスとは、機械工学、電気工学、電子工学、情報工学などの知識や技術を融合させ、新たな〝工学的解〟を生み出そうという学問・技術領域のこと。

ロボット相撲はそうしたいくつかの工学領域をトータルに融合させて取り組まねばならない。各工業高校とも生徒たちの能力を掘り起こすイベントとして捉えてきた。

だからこそ、生徒たちはもちろんのこと、ＯＢや教える側の先生たちも夢中になって取り組んでくれたのである。

「ええ、電気・電子工学科のみならず、機械科の生徒も加わり、また応援したりして、工業高校としては各科の先生方と生徒が一体になってロボットを作る。この一体感が学校全体を盛り上げていく元になったのだと思います」

野澤は主催者としても手応えを感じられ、やり甲斐のあるイベントと位置づけ、これからも大会を続けていきたいと語る。

## 『出入り自由』の原則

ゆとりとやり甲斐を持って仕事をする。自分の能力をその仕事に精一杯ぶつけながら、自由に伸び伸びと生きる。

創業時の１９７０年（昭和45年）、野澤たちの仕事は野澤の横浜市・左近山団地の一室から始まった。

野澤の起業に馳せ参じたのは、野澤が教鞭を取った日本電子工学院（現・日本工学院）の教え子3人であった。

狭い一室での仕事開始だったが、野澤と社員の志は高く、夢は宏大であった。自由闊達に生きる——。この精神は創業以来、野澤が追い求めてきたもの。だからこそ、富士ソフトが大手ベンダーの下請ではなく、独立系ソフトウェア会社として成長・発展できる下地になったと言えよう。

富士ソフトは、「人の集団」である。人が自由に伸び伸びと仕事をする。そして、人と人の出会いの中で自らを成長させていく。そうした社風を築いていくために、同社は人の『出入り自由』を看板に掲げる。

その『出入り自由』について、野澤が語る。

「出入り自由ということは、うちの社員を束縛しないということ。人生には何度か辞めたいと思うことがあります。わたしだって、何度かこの会社から身を引きたいと思う場面がありました。富士ソフトを創業する前には、それまで勤めていた会社を辞めてきたし、二つの会社を辞めてきたという道のり。やはり誰しも、辞めたいと思うときはあるし、それはそれでいいのだと。いろいろ世間を見る意味でもいいんです。うちより良い所があったら行きなさいよと。行って駄目だったら、いつでも戻って来いよと。これが出入り自由の生き方、そういう社風です」

出戻りの人たちは頑張っているのか？

「頑張っていると思います。そうでない人もいるかもしれませんが、それも本人の生き方次第です。

出戻りであろうと、そうでなかろうと、うちは仕事に対しては評価が厳しいのは同じですからね」

同じ条件の中で働き、自分の思う通りに生きていくということである。

ソフトウェア業界は人の流動性が高いとされる。

「ええ、特にソフト業界は技術力が高ければ、スカウトマンが目を光らせています。ただ、高待遇で行くんだけど、すぐその会社の業績が悪くなったり、期待した評価を得られなかったり、という目に遭って、また戻りたいという人が結構多いんです」

そういう社風だからこそ、新しい領域にも挑み、次々と新事業を開拓してきたと言える。

筆ぐるめ、ロボットのPALRO、リモートワークで力を発揮するmoreNOTEなどのハード・ソフト製品も創出、マニュファクチャリング（製造）機能も持つ企業へと成長、発展。

「全日本ロボット相撲大会」は全国の工業高校生の能力を掘り起こす大会になっている

ロボット相撲では、近い将来、産業界を支える人材（高校生）に夢と希望を与え続けている。

時代は移り変わろうとも、経営の基本は変わらない。

# 第5章

# 創業から50年、そして新たなスタート

# 『ひのきの精神』に徹して50年、顧客とともに成長を

ひのき（檜）のオブジェ――。都心のJR秋葉原駅前に聳え立つ富士ソフトの秋葉原オフィス（31階建て）の正面玄関に〝ひのきのオブジェ〟が立てられている。ソフトウェアを開発する者にとって、『ひのきの精神』は活動していくうえで根幹になるものという創業者・野澤宏の考えに基づいてオブジェが創られた。『ひのきの精神』とは品質、納期、機密保持をしっかり守ろうというもの。3つの遵守項目のそれぞれ頭文字を取っての命名だが、この『ひのきの精神』があってこそ、取引先（顧客）からの信頼が得られるし、顧客との共存共栄を図ることができるという富士ソフトの経営思想。この思想を受けて、社長・坂下智保は重点的に注力する先端技術分野『AI－S－CRM（アイスクリーム）』を標榜して、新事業領域の開拓を目指す。

## 明暗分けるコロナ危機、その中で成長を！

2020年（令和2年）はまさに時代の一大転換期となった。

コロナ危機が世界中を襲い、世界経済は深刻な打撃を受けた。感染防止のため、密を避けようと、

人の動きにも制限が加わり、鉄道や航空事業は赤字に陥るところも続出。まさに需要が蒸発する形となった。

同じ、移動（運輸）に属する領域でも、宅配便などは在宅勤務などの巣ごもり需要もあって好況。また、観光、宿泊、外食などの事業も厳しい環境に置かれ、産業界も明暗を分けた。

富士ソフトはこの２０２０年に創業50周年を迎えた。その記念すべき年にコロナ危機を迎えたのだが、20年12月期は売上高約２４０９億円（前期比４・３％増）、営業利益１５９億円（同20・４％増）と増収増益となった。

コロナ危機の中で健闘したといえるが、一方でコロナ危機はわたしたちにいくつもの気付きを与えてくれた。そうした気付きをどう自分たちの経営に取り込んでいくか――。

働き方改革でいえばリモートワーク・在宅勤務、医療分野ではオンライン診療、教育界ではオンライン授業と、各分野でデジタルトランスフォーメーション（ＤＸ）が進む。

コロナ危機の襲来前に、同社はオンライン会議のための『moreNOTE』や人と対話するロボット『ＰＡＬＲＯ』などを開発、またリモートワークなどを社内で実行してきている。

富士ソフトはこのコロナ危機下でいかに経営の生産性を上げていくかというテーマに沿って、ソフト開発・システム開発を手掛けてきていたわけだが、この２０２０年という年をどう総括するのか――。

「本当に振り回された1年でしたね。コロナ危機が世の中全体にこんなに大きな打撃を与え、今まで言われていた内容より全く重い結果になりましたね。当社の場合は、全然影響がないと言ったら嘘になりますが、その影響も比較的軽度で済んでいると思います」

野澤は全体の印象について、こう語り、次のように続ける。

「製造業もサービス業もコロナ危機の影響を受けていますが、うちはお客様の基幹システムに絡む仕事ですから、そのシステム作りを止めるわけにはいきません。ですから、取引先の仕事を当社が請け負って、できる限り在宅勤務を活用してやらせていただいています。そういうことですから、コロナ危機下にもかかわらず、ある一定の受注量は確保できています」

今回のコロナ禍では、取引先（顧客）の製造業は当初、工場の操業を停止せざるを得ない局面もあった。自動車業界のように、世界各市場で販売ができない状況があり、それなりのインパクトを受けた。

今は自動車産業も次第に活気を取り戻しつつある。20年末の第3波襲来で先行きに懸念が持たれているものの、一時よりは平静さを取り戻しつつある。

## 常に最先端に挑戦し続けてこそ

最先端の技術をいち早く取り込む——。富士ソフトの創業以来の生き方である。『Society5.0』が叫ばれる時代。

ＡＩ（人工知能）、ＩｏＴ（モノのインターネット）を駆使して、サイバー（仮想）空間とフィジカル（現実）空間の融合を目指す時代においては、なおさらそうである。

日頃の備えがこのコロナ危機でも生きた。日本国内で新型コロナウイルスによる感染症の発生が確認されたのは20年1月。

すでに記述した通り、それから間もなく、富士ソフトの第50回定時株主総会が3月13日（金）、千代田区神田練塀町の同社秋葉原ビルのホールで開催された。

ここで注目されたのが、同社がインターネットを用いて議事進行を視聴し、質疑応答や議決権行使を行う『インターネット出席』を実施したこと。すでに同社は株主総会のインターネット活用を数年前から始めてきていた。

２０２０年はコロナ禍もあって、『インターネット総会』が行われる時代になったという認識が社会的にも広まった。

この日は11名の株主がインターネット経由で出席、１５９名が会場に出席。会場でも〝密〟を避けるため、映像音声を同時中継する複数の会議室を用意、会場の座席もディスタンス（間隔）を十分に取って開催。

株主の安全・安心を第一にした株主総会であった。「株主総会はもう数年前から、インターネットを活用して対応してきていましたので、新しく準備するということはなかったです」

日頃から、新しい技術、新たな課題に挑戦しておいたことがコロナ危機でも良い結果を出せたということである。

ペーパーレス会議システムの『moreNOTE』にしても同じ。タブレット端末に不慣れな人でも、「簡単な操作で素早く会議資料にアクセスできる」ということで在宅でのテレビ会議で活用された。

同社は、この『moreNOTE』を２０１２年から発売。活用企業はコロナ禍前、約３３００社に達しており、危機の真っ只中でも自分たちの仕事をスムーズに遂行できた。

日頃からあらゆる事に備えられるようにしておくことがいかに大事かということだ。

## 次のステージは売上高1兆円を目標に

創業50周年を機に、新しい目標をどう設定するのか？

「社長以下、新しい経営陣にバトンをつないでいるんですが、わたしとしては１兆円企業を目指して欲しいと」と野澤は創業者としての思いを語る。

「やはり日本における企業の存在感という場合、１兆円以上の経営規模にならないと。わたしは売上高２０００億円を目指してやってきたんですが、次の世代は１兆円をぜひ目指してもらいたいですね」

組み込み系のソフトウェア開発から出発し、途中で金融系の領域に参入、次いでロボットやバイオ関連にまで領域を広げてきた富士ソフト。今後、どういったテクノロジーで社会インフラ・産業インフラづくりの役割を担っていくのか――。

『ＡＩＳ―ＣＲＭ』（アイスクリーム）――。同社は自分たちが重点的に取り組む技術をこう標榜する。ＡＩ、ＩｏＴ、セキュリティ、クラウド、ロボット、モバイル・オートモーティブ。最新のテクノロジーをすべて包摂して、次世代の社会インフラ・産業インフラを築いていこうという戦略。

野澤は、「縁の下の力持ち」という表現を使いながら、次のように語る。

「産業の基礎部分、ベースをさらに強くしていく役割。その役割を担う力を強くし、技術を高めていく。そういう縁の下の力持ちに徹していく」

## 最先端技術の宝庫『アイスクリーム』

では、富士ソフトが『ＡＩＳ―ＣＲＭ』（アイスクリーム）と呼ぶ技術群とは一体、どういうものか。社長の坂下智保（１９６１年＝昭和36年７月生まれ、２０１１年社長就任）が答える。

「ソフトウェアの世界で本当のサービスとしてお客様に価値を与えるという意味もあります。けれども、やはりわれわれはしっかりシステムとソフトウェアを作っていく、それがものすごく重要な役割だと思うんですね。その中で最先端の技術をどんどん取り込んでいかないといけない。そのような最先端の技術を象徴的に表したのがアイスクリームという標語です。

ＡＩやＩｏＴは、どちらかというと、攻める分野ですけど、セキュリティのようにますます発展して高度化する技術の中で、ものすごく難しいものになってくる。このアイスクリームのＡＩＳ、これが多分、今後世の中を変えていく技術になってくるでしょうし、われわれはそこに力を入れてやっていきたい」

坂下は、「新しい技術や先端の技術で世の中を引っ張っていく会社になりたい」とこれからの方向性を語る。

## 『ひのきの精神』を基本軸に据えて

『ひのきの精神』——。富士ソフトがＪＲ秋葉原駅前に構える秋葉原オフィス（31階建て）の正面玄関に、檜のオブジェが立てられている。

檜。春、枝の上に小花を咲かせ、そのあと球果を結ぶ。材は緻密で光沢・芳香があり、諸木材の中で最も用途が広く、建築材として最良とされる。

最良の木材・檜になぞらえて、野澤はシステム構築会社とて、『品質、納期、機密保持』をしっかり守るという意味を込めて『ひのきの精神』と呼ぶ。

野澤が創業した頃（1970年）、ソフト業界では、納期があやふやでいつになるのか不明というケースが散見された。

それでは、発注してくれた得意先に迷惑がかかる。自分たちは会社を興したからには、品質を良くして、納期をきちっと守っていこうと心に決めた。

思うだけではいけない、必ず約束した通りに実行する。そして、大事なことは機密保持に徹することである。

まだ、情報やデータに関して、機密保持の重要性が社会的に浸透していない時代。それを、野澤たちは創業時から、このことを自分たちの経営方針として謳ってきた。

野澤が『ひのきの精神』を掲げた理由について語る。

「その頃、納期が間に合わないというときに、発注者側に問題があるとか、受注者側に責任があるとか言って、両方で責任をなすり付け合っていて、結局、納期が間に合わないということがときどき起きていました。そこでわたしどもは『ひのきの精神』で、品質、納期、機密保持をきちんとしていこうと。品質はもちろん大事、納期ももちろんそうです。そして、次に来るのはコストの問題。品質、納期、コストになるんですけど、うちは品質と納期を守れば大体コストは付いてくると。だから、大事なのは機密保持であると。お客様から大事な機密を預かっているわけですからね。それで、『ひのきの精神』というわが社の基本的な考え方を決めたんです」

企業にはいろいろな試練やさまざまな出来事が長い間には起こる。事実、産業界には石油危機、リーマン・ショックといった金融危機、さらには今回のようなコロナ危機が襲ってくる。

こうした試練や経済危機の中を生き抜くには、生きる座標軸がしっかりしたものでないといけない。富士ソフトは、品質、納期、そして機密保持の3つを顧客に確約する『ひのきの精神』を基本軸に据えた。

そして、それを創業以来50年間、実践・実行してきたことで、顧客の支持、信頼を得て、今日の独立系システム開発会社としてトップレベルの地位を築くことができたのである。

そして今はDXの真っ只中。「ええ、変革をするときです。変革をするのに、このアイスクリーム（AIS－CRM）のような技術がものすごく重要になってくる。それをわれわれが事業と経営に寄与する形で提供して、お客様の競争力を上げていく。そして、われわれも一緒に育っていくという形に、もっともっとスピードアップしてやっていきたいですね」と社長・坂下は語る。

『ひのきの精神』で顧客との共存共栄を図っていくという富士ソフトの戦略である。

富士ソフト秋葉原オフィス1階に設置されている「ひのきのオブジェ」

# 自分たちの手でしっかりとソフト作りを！
# AIS―CRM戦略を支える技術者集団

相手から頼りにされる存在になる――。モノづくりの領域で例えば最先端のロボットを作りたいというメーカーから、「ソフトの設計を引き受けてくれ」という注文を受けたとする。先方のハード設計とこちらのソフト設計のいわば融合を図るわけだが、その際、富士ソフトが発揮できる強みというのは、システム全体を知っているエンジニアを多数抱えているということ。創業時、組み込み系技術を中核に出発、今やAI（人工知能）やIoTなどの最先端技術を網羅し『AIS―CRM』（アイスクリーム）と称して全社戦略とするほどにまで成長。デジタル革命が進行する中、富士ソフトは自らの立ち位置をどこに置き、社会の発展にどう貢献していくのか。会長・野澤宏と社長・坂下智保の両人に語ってもらう。

## 足腰のしっかりしたエンジニア育成を！

ＳＩｅｒ（エスアイヤー）。システムインテグレーター（ＳＩ）のことで最近はＩＴ業界以外でもよく聞かれる言葉。

システムの設計、開発、そして運用、保守とシステムに関わる全ての業務を引き受ける企業はＳＩｅｒと呼ばれる。

ＳＩの仕事をする人という意味で接尾辞のｅｒを付けてＳＩｅｒにしたという和製英語。例えば、不動産開発事業者のことを動詞のＤｅｖｅｌｏｐ（開発）にｅｒを付けてＤｅｖｅｌｏｐｅｒ（デベロッパー）と呼ぶのにちなんで、ＳＩｅｒなる言葉が生まれた。

この業界ではＮＴＴデータや野村総合研究所、そしてメーカー系から出発した富士通やＮＥＣといった大企業群がいる。

富士ソフトは独立系のＳＩｅｒでトップレベルの地位を築いてきた。創業から50年、『挑戦と創造』を社是に掲げ、エンジニア集団を育ててきたことが今日の地位構築につながる。

ＳＩｅｒといっても、自分たちでソフト作りをせず、外部に発注する会社も少なくない。しかし、富士ソフトは一貫して、「自分たちの手でしっかりとした品質のソフトを作る」（社長・坂下智保）という姿勢を堅持。

システムを発注してきた顧客のニーズに丁寧に応え、本質的な課題解決へ向けて提案していくためにも、「足腰のしっかりしたエンジニアを育てていこう」という考え方。

会長・野澤宏が１９７０年（昭和45年）に創業して50年。会社の基本は人にありと、人材育成に努めてきた歴史。

「技術はこの50年間で大幅に変化してきましたね。うちの技術者たちもこの50年間の変化にきちっと対応。そしてトップを走っているというところは、わが社のエンジニア集団としてのすごさなのかなと思っています」

野澤が続ける。

「当社のエンジニアたちがどんどん新しい領域を切り開いていった。わたしがあせいこうせいと言った覚えはほとんどありません。大まかな技術方針は出しますが、個々の技術というのは各エンジニア、あるいはその集団が良い成果を出していくということです」

自らの力で切り開く——。こういう思いが組織の風土として定着してきていることが同社の成長・発展を支えてきているということである。

ＡＩＳ—ＣＲＭ戦略。ＡＩ（人工知能）、インターネットで全てのモノをつなぐＩｏＴ、セキュリティ、クラウド、ロボット、モバイル、オートモーティブといった最先端の技術領域を総称しての命名である。

今、デジタルトランスフォーメーション（デジタル革命、ＤＸ）が進行中。21年9月にはデジタル庁が設置され、行政組織のデジタル化はもとより、民間のＤＸを積極的に後押ししていこうという機運が盛り上がる。

こういう時代の転換期にあって、富士ソフトはこれからどう自らの使命を果たしてくのか。筆者が司会をしながら、会長・野澤宏と社長・坂下智保との鼎談から、それを探ると——。

## 最先端領域を切り開く

**――コロナ危機とも相まって、社会全体で生き方・働き方改革が進み、産業界も生産性をいかに上げるかという課題を抱えています。そうした中、富士ソフトの使命と役割について、考えを聞かせてくれませんか。**

**野澤**　とにかくお客様（取引先）が発展、成長していくためのベースづくりであり、そのベースを支えるための組織対応ですね。何より、そのための技術を高めていく。産業インフラづくり、社会インフラづくりですね。それが自分たちの役割であると思っていますが、縁の下の力持ちという役割をさらに追い求めていきたいと思っています。

**――富士ソフトはAIS―CRMを標榜していますが、坂下社長、この狙いはどういうところにあるんですか。**

**坂下**　AIS―CRMはたぶん世の中を変えていく技術になってくるでしょうし、そこに我々はものすごく力を入れてやっていますので、こういう新しい技術、先端の技術で世の中を引っ張る会社になると思います。

各産業でデジタルトランスフォーメーションによる変革が始まっており、変革するのに、このAIS―CRMのような技術がすごく重要になってきます。それを我々が事業と経営に寄与する形で提供していく。そして、お客様の競争力を上げて、我々も一緒に育っていくという形に、もっともっとスピードアップしてやっていきたいですね。

**――ＡＩＳ―ＣＲＭはほとんど富士ソフトが得意とする分野と言っていいですか。**

**坂下**　それぞれに高い技術を持っています。例えばＰＡＬＲＯというロボットを作っていますが、あれはＡＩの塊です。オリジナルのＡＩを我々が作って搭載しています。もう10年以上やっていますから、そういう意味では世の中でＡＩ活用のロボットを作って販売したのは一番早かったと思います。

ＩｏＴというのは、エッジ端末のデータを集めて、通信に流して、ビッグデータにして分析・活用するという世界。エッジ側の組み込み開発は我々の最も得意な分野で、通信の分野でも携帯電話などで長年やってきています。通信の分野にも非常に強いです。

ビッグデータ化して分析するというところに、ＡＩの技術を活用することもできる。このエッジと情報系の分野を両方持っている企業というのは、世の中にあまりないんですよ。ＩｏＴなどは当社の最も得意な分野であると思います。

**――自分たちの強さを発揮できると。**

**坂下**　できます。

## 変化の時はチャンス

**——この50年間は変化の連続であったと。**

**野澤**　古い技術のままだったら、こんなに伸ばせないですよね。ＩＴの50年の急激な変化があったゆえに、われわれ新参者が良いチャンスをもらえたと思っています。

**——変化はチャンスだと？**

**野澤**　変化はチャンスで、そのチャンスに、やはり新しい技術者集団だから取り組めたのかなと。どんどん貪欲にチャレンジして、吸収していけたのだと思います。当社には、新しいものに積極的に取り組むという技術陣の体質があります。『挑戦と創造』がわが社の社是ですからね。

**——チャレンジし続けてきたことと、時代の変化に対応してきたということですね。**

**野澤**　チャレンジの連続ですね。わたしが創業して間もなく、世の中を見ていると、苦戦を強いられて消えていった会社の多くは、大型汎用機しかやっていない会社が多かったですね。大型汎用機は非常に大きな変化に呑み込まれていき、ネットワークは減りつづけていますからね。みんな分散化して小型のサーバーになったし、さらに今はクラウド化が進みサービスのマイクロ化が進められています。

**——1995年はインターネット元年とされていますが、ネット革命の波の中で大型汎用機はあっという間に姿を消していってしまいましたね。**

**野澤**　はい、我々は初めから新しいことをやっていたので、その強さを時代の変化の中で発揮できました。丁寧に、誠実にネットワークづくりをやり、そういう泥臭いところを丹念にやってまいりましたので、それで生き抜いてきました。本当にラッキーでしたね。

**――人の生き方もそうですが、企業も同じようなことを感じさせられますね。大きな時代の変化、環境変化の中を生き残る人や企業には何か共通するものを感じます。地に足を着けたというか。**

**野澤**　そうですね。昔よく、ＩＴ産業が景気の良い頃、大型ホストコンピューター隆盛の頃はとにかく銀行を中心に金融系のシステム受注会社は景気がよかった。銀行がシステム構築に相当なお金を注いでやっていましたからね。そういう会社は大半がその後、厳しい状況に身を置くことになってしまった。

**――バブル経済が1990年代初めにはじけ、97年末から98年にかけて大銀行や証券会社に経営破綻が相次ぎました。そしてリーマン・ショック（08年）と金融危機が続きました。ＡＢＣの救済合併もそういう流れの中で起きましたね。**

**野澤**　はい、ＡＢＣもわが社に救済を求めてきました。我々から見ると、ＡＢＣは金融系のお客様をがっちり持っていましたから、ＡＢＣを取り込んで逆に金融系分野に進出していこうという考えでした。当時はコンピューターも大型ホストの時代から分散化の時代へと大きく変わろうとしていたとき。逆に我々の技術を広げていく形で取り組んでいけると。ラッキーな面もありましたね。

**――いま言われたような、大型から分散化といった時代の大きな変化での決断ですね。**

**野澤**　大きな変革ですよ、これは。業界の変革、需要の変革。我々からすると、マーケットの変革であり、技術の大幅な変革。我々はそれに対応できたし、対応しやすい技術でずっとやってきたということです。

## 足腰のしっかりしたエンジニア育成を！

**――坂下社長は野村総合研究所出身で、２０１１年６月に社長に就任という経歴ですね。野村総研時代に富士ソフトの社風をどう見ていましたか。**

**坂下**　若いエンジニアが生き生きと仕事をしているというイメージを強く持っていましたね。

**野澤**　当時、野村総研の部長だった坂下の所に、うちの社員が何人か行って、一緒に仕事をしていたこともありましてね。

**坂下**　そうです。だから、わたしが富士ソフトに２００４年に入社して仕事をしていると、驚いていた社員もいました（笑）。

**――その時の富士ソフトの立ち位置は？**

**坂下**　富士ソフトはこの業界で独立系としてトップレベルですが、当時は流動的な要素がある中で、ソフト作りはこれからどうなるのかといった時代でした。その後、ＣＳＫさんが住友商事と提携してＣＳＫとなるなど、いろいろな再編が起きていくわけですね。

**――そういう環境が激しく動く中で感じたことは何ですか。**

**坂下**　やはり、しっかりとしたソフトをどう作っていくかということです。ＳＩｅｒと呼ばれているような企業は自分たちでソフト作りをしなくなっているんですよ。品質なども協力会社に任せるとかね。

一般的なＳＩｅｒにはそうしたことが多いのですが、当社は今でもそうですが、自分たちでしっかりとした品質のソフトを作るということをやっています。わたしは、エンジニアというのはそういう基礎を持つことが大事だと思います。基礎を飛ばして、形だけ作るようなエンジニアではなく、足腰のしっかりしたエンジニアになってもらおうと。当社はそういう土壌を持った企業だと思っています。

**――地に足を着けたエンジニアが育っているとい**

野澤宏・富士ソフト創業者（右）、坂下智保・同社長

**うこと。**

**坂下**　その土壌があってこそ、ＡＩやＩｏＴ、セキュリティなどのＡＩＳ－ＣＲＭのエンジニアが育ってきているんです。

**野澤**　外部の人材に頼りきりになって、いわゆる空洞化にならないように、空洞化が生じたらもう駄目ですからね。

# 顧客との共存共栄を——。相手から信頼されるためのAIS—CRM戦略

顧客の企業と一緒になってのシステムの共同開発——。デジタル革命が社会の各領域において急ピッチで進む今、「デジタル化イコールコンピュータ化です。ソフトの仕事が必ずあります」と会長の野澤。国や自治体がデジタル化で行政事務の能率の向上とスピード化を目指せば、民間も生産性向上へとデジタルトランスフォーメーション（DX）が進行。「お客様（企業）も新しい技術を使って、新しい仕事をしたいと。そこにわれわれもチャレンジし、一緒になって最先端技術を開拓していく」と社長の坂下。顧客との共存共栄路線——。富士ソフトが独立系ソフトウェア会社でトップレベルになれたのも、この顧客と共に進む共存共栄の考えがあったからだ。顧客から頼りにされる存在になろうと、常に自分たちの技術を磨き工夫をし続けるという伝統精神である。

## 顧客との連携でソフト力とハード力を融合

顧客企業とのシステムの共同開発は、相手とこちら（富士ソフト）がお互いに得意な所を持ち寄って、質が高くて高付加価値のシステムを創り上げるところに醍醐味がある。

この共同開発について、会長・野澤宏が語る。

「共同開発では、当社のお客様はどちらかというとハードが得意というパターンが多いんですよ。そうすると、ハードの設計に注力され、新型機を作ったと。そこで、ソフトはわれわれにやって欲しいと言われるんですね。お客様にはハードが得意なエンジニアがいて、富士ソフトには技術力の高いソフトエンジニアがいると。そういうことで、今では頼りにされる会社になっています」

デジタルトランスフォーメーション（DX）が進む今、この共同開発での受注が増加。相手企業（顧客）からは相談事も相次ぐ。

こうした仕事の流れから、コンサルティング的な要素も入ってくる。「モノをつくるのに、今はデジタル化が進んでいます。デジタル化イコールコンピュータ化です。ソフトの仕事が必ずあります。そのウェイトは結構高いんです。そのときに必要なソフトのエンジニアを確保しなければならないし、システム全体を知っている人がいないと仕事はできないし、前に進まない」

富士ソフト（社員数は1万4000人強）はソフトウェアのエンジニア集団。顧客の企業はいろいろな産業領域にまたがるが、「ありとあらゆるところで経験と知識を持った社員がおりますので、お客様の本当の力になれるし、お役に立てる企業として評価していただけるようになりました」と野澤は語る。

例えば、顧客の製造業はハード系の社員を採用して養成しているのだが、同じように最新の技術に対応できるソフトのエンジニアを養成していくのはなかなか難しい。今のデジタル化の時代にあって、ハードとソフト両方のエンジニアの存在は不可欠。

そこで顧客企業と富士ソフトが手を組むことで、所定のプロジェクトが遂行できるということになる。

また、ソフトウェア開発は仕事柄、初期の設計段階は少数でやれるが、開発段階になると、多くの技術者が必要になる。

顧客企業はもちろん少数のエンジニアを抱えているが、大がかりなプロジェクトになるとさらに多くの技術者を必要とする。当然顧客企業の力では賄えない。そのため、「何とかしてくれないか」という相談が舞い込むことになる。

そこで富士ソフトのようなエンジニアを多数抱えるソフトウェア開発会社の出番となる。

「だから、当社もプロジェクトの企画・設計の段階から携わって協力しないとうまくいかない」。

野澤は仕事への関わり方をこう説明しながら、次のように続ける。

「例えばお客様が今度こういう機械を開発したいとか、ロボットを作りたいとか、そういうときには当社のエンジニアもソフトの側から参画する。それで、先方のハードの設計者と当社のエンジニアが一緒に、ハードとソフトを設計し、開発の企画段階から加わっていくということです」

相手から頼りにされる存在に――。こういう存在になるには、こちら側にそれなりの得意技、強さがなければいけない。

このようにソフトとハードの得意技を融合させることで高付加価値の製品やサービスを創り上げ

ていくということだが、こうした仕事の醍醐味とは何か?と問うと、社長・坂下智保からは、「やはりお客様から感謝されるようなときですね」と次のような言葉が返ってきた。

「当社が開発に参画している商品は、お客様の企業のビジネスに直結するようなところがあります。そうすると、お客様から、よくこの短い期間でやっていただけましたと感謝の言葉を頂戴します。素晴らしいエンジニアにたくさん参画していただいてありがとうと言われたりする時は嬉しいですね」

コロナ危機の真っ只中にあって、今後の富士ソフトの経営のかじ取りについて、会長・野澤と社長・坂下の話を聞くと。

## 普段からの危機管理が大事

**——コロナ危機は社会全体に大きな打撃を与えていますが、一方で多くの気付きも与えてくれました。日本全体としても感染防止と経済の両立という命題を抱えるわけですが、御社の新型コロナ対応への基本的な考えを聞かせてくれませんか。**

**野澤**　コロナ危機に対しては、何より感染防止が大事です。ただ、コロナから逃げることなく、いろいろな工夫を施しながら、コロナを制していく、製品を作り上げていく。また、そういう心構えでコロナ危機1年目の2020年はやってきましたし、危機以前から当社はリモートワークなども実行してきています。ですから、在宅勤務も多いですし、そうした対応が取れるところが当社の強みだと思っています。

**――非常時対応だけではなく、普段からの危機管理が大事だということですね。**

**坂下**　はい、コロナ禍においても、われわれが通勤したり、あるいは在宅勤務したりしながらも当初の納期をちゃんと守ることができたのは、そういうことだと思います。社員の1人ひとりが大変な中できちんと仕事をしていくんだと。

**――在宅勤務の比率はどれ位ですか。**

**坂下**　ピーク時は7割ほどまでいきましたが、今は6割ぐらいですね。

**――エンジニアの仕事も在宅、リモートワークでできるんですか。**

**野澤**　うちは仕事柄できていますね。一部在宅ではできない仕事もありますけれども、作業管理が個々で管理できるようなスタイルなので、リモートワークでも管理できるようになっています。

**坂下**　社内のさまざまな仕組みにITのリモートワークの仕組みを加えて活用を進めてきていたんです。ただ、全社でリモートワークが中心となる新しい働き方を3カ月も4カ月も継続してやるというのは、コロナ危機になって初めての経験なので、それは逆に注意深くいろいろなケアをしながら進めているところです。

**野澤**　新しい局面を迎えて、様々な課題は出てきていますが、それはもう経営上の課題として、1つひとつ解決しながらやっていく。それが前へ進んでいくことになるのだと考えています。

**——いろいろな事態が起こり、今回のコロナ問題のような世界的危機もやってくる時代ですが、顧客との関係で心がけていきたいことは何ですか。**

**野澤**　納期を守る。これが当社の強みであり武器なんです。品質・納期・機密保持で『ひのきの精神』を実践していく。これがわれわれの基本であり、お客様からの信頼を得る元になりますので、社員の1人ひとりに浸透するようにやってきましたし、これからもやっていきます。

今は予期しないことが次々と起きてきます。そういう変化の時代をしっかり生きていく。「変化はチャンスなり」というのが我社の基本理念の一つで、そのスタンスは少しも変わりません。

## デジタル革命の中での富士ソフトの使命とは

**——政府は2020年9月にデジタル庁を設置することを決め、行政組織のデジタル化を始めた。民間のデジタルトランスフォーメーション（DX）の推進を支援する考えですね。このDXでの富士ソフトの役割は何だと考えますか。**

**野澤**　実際の仕事はこれから本格的に展開するという風に、わたしは捉えています。お客様から注文があって初めて当社が動き出すというところもありますので。全体として見れば、まだお客様の方が具体的にどうやろうかとDXを思案している段階ですね。

もちろん、お客様から要求されたり、相談があったりして、こちらから提案しているケースもすであります。

**坂下**　その際、ＡＩＳ―ＣＲＭ（アイスクリーム）をキーワードにして、提案しているものもあります。デジタル化というのはコロナ危機で後押しされていますけど、まだ皆さんが取り組み始めた段階です。われわれは最先端の技術の蓄積があるわけですから、先程言ったようにＡＩＳ―ＣＲＭをベースに、お客様のデジタル化を支援していく。そういうパートナーシップを強力に立ち上げているところです。

そして世の中では今、すべてを内製化しようという話も出ていて、デジタル人材を社内に取り込むと。今度新設されるデジタル庁も１０００人、２０００人を民間から採用するのだという話も伝わってきます。

そう取り組んで頑張っていただくのも一案ではありますけど、われわれからすると、これまでの経験からなかなかインハウスではうまくいかないのではないかと思っています。インハウスでできることと、われわれのような専門家がやるべきこととは違ってきますのでね。

## 日本の生産性向上に貢献

**――ソフトウェア開発会社の専門家としての役割はもっと高まると？**

**坂下**　はい、専門家の役割への期待値はさらに大きくなっていくのではないかと。やはりプロの仕事をして、ちゃんとお客様のデジタル化を支援していくパートナーにならないといけないと思います。

**——先日、日本商工会議所の三村明夫会頭にインタビュー取材をしました。中小企業を所管する経済団体として、日本の企業の99・7%を占める中小企業の生産性をいかにしてDXで上げていくかという命題ですね。当面、このコロナ危機を乗り切り、そのあとに生産性向上に腰を据えて取り組んでいくという話でしたが。**

**坂下**　今、クラウド技術などでさまざまな新しいサービスが次々に提供されています。必要なものはゼロから全部作っていくのではなくて、既にあるものを組み合わせて利用すれば作りたいものがある程度まで作れるという世界になってきていると思います。

ですから、そういうところを支援する政府の枠

坂下智保・富士ソフト社長

組みなどにわれわれも参加させてもらって仕事に当たっています。最近、お客様からよく言われるのは、デジタル人材がうちにはいないという話なんです。さまざまな情報や技術があり、何をどう活用すればデジタル化が実現でき生産性を上げられるのか、支援が必要だと。

そこをわれわれがうまく設定して差し上げるというフレームを作らないといけないと思っています。

先ほど製造業のお客様にソフト作りでお役に立つのと同じで、中堅・中小企業のお客様にもこちらが責任を持ってソフト作りを提供していく。

だから、われわれが丸投げされてもきちんとできるくらいのリード力を持ってお客様のＤＸを引っ張っていくということですね。

**野澤**　だからコンサルティング業務から出発ですよね。

**坂下**　はい、コンサルティングも適正な価格でやっていく。お客様に向かい合って仕事を進めていますので、より地に足が着いた姿でやってきていますし、それはこれからも変わりません。

**野澤**　お客様のビジョンに寄り添って、これから手掛ける事業のお役に立っていくのがわれわれの仕事だと考えています。

# 人生に目標を――。新しいことに挑戦することで人は育つ！

目標を持つ――。生きていくうえで、自らの目標をしっかり持ち、そこへ向かって努力していくことが大事。野澤は、創業から50年余が経ち、自らの足跡を振り返るとき、このことを痛切に感ずると言う。大学卒業後、通信建設会社に職を得るも、何かしっくり来ず、もっと時代に切り込む仕事をしたいと、コンピュータのソフトウェア開発領域に飛び込む決断。富士ソフトを27歳で起業し、独立系で我が国最大手のシステム開発会社に育て上げられたのも、「ソフトウェアで社会に貢献したい」という人生目標を若い時に立てたからだ。そして、人との出会い。日本電子工学院で講師の仕事を得て、教え子2人を社員に採用し、業務を次々と開拓し、挑戦していけたのも、人と人のつながりがあったからだ。

## 時代の変化を見つめて50年

「幸いなことに後継者もしっかり育ってまいりましたし、経営陣もしっかり若手が引き継いでいける段階に来ましたので、わたしは、まずはこの会社をいつ引退するかという感じですね。わたしは年齢的にも、働き過ぎたんじゃないかと思うくらいにやってきた」

野澤は１９４２年（昭和17年）５月17日生まれ。１９７０年（昭和45年）５月、満27歳で起業し、50年余もの間、それこそ一心不乱に働いてきた人生。「突っ走ってきたこの50年間でした。でも、50年間というのは、長いといえば長いですが、いい区切りになりました。それが会長として全うできるというのは、本当に幸せな人生だったのかなと思いますね」

幸い、健康にも恵まれ、さしたる病気もせず、元気に働いてきたという野澤自身の思いである。

振り返れば、１９７０年という年は時代の転換期であった。

敗戦（1945年=昭和20年）から25年。戦後の焼け跡から、ひたすら復興を目指し、みんなが懸命に働き、高度経済成長を実現。そして１９６８年（昭和43年）には当時の西ドイツ（現ドイツ）を抜いて、米国に次ぐ自由世界第2位の経済大国になった。

そこへ、コンピュータの社会的登場である。日本はさらに一大発展をするための変革を迫られようとしていた。

「そうですね。コンピュータというエポックメーキングな技術が出てきて、大きな時代変革ですね。コンピュータによって、社会が一変しました。この時代の変化を若い時から50年間、今日まで見つめてきた、携わることができたのは、最高の幸せです」

野澤はこう述懐し、次のように語る。

「でも、まだまだ終わりはないですから、これからますますコンピュータ社会が進化し、ＩＴが産業の発展を促していく。また、国民の幸福をさらに拡大していくのではないかという期待をしています」

今、デジタルトランスフォーメーション、つまりデジタル革命が言われ、生き方・働き方の改革をも促す。

「ええ、いま大量のデータを集め、問題を解決する手立てを見つけ出そうと。経営資源もそういう方向に向けられています。いかに有効なデータを大量に集めて、人類の幸せに貢献していくか。それを、われわれの英知をいい方向に持っていければなと思うんです。悪い所にも活用できますから。それを全人類の発展のために寄与できる体制にしていく。この体制をしっかりつくることが大事ですね」

人類が切り開いてきた技術は歴史的に見ても、善と悪、プラスとマイナス両方に使われるという面を持つ。デュアル・ユース（両用性）という課題が技術開拓には常にからむ。

「悪質なグループに、重要なデータが渡ったとすると、大変なことになってしまいますからね」

社会の健全な発展・成長のために、みんなが知恵を出し合い、それこそ人類の英知を振るい、プラス志向でやっていこうという野澤の訴えである。

## 青年期の逡巡、次に熟考そして進路を選択

野澤は先述したように、大学を卒業後、一旦は通信建設会社に就職。そこは株式上場の大手であり、通信インフラ建設の仕事はそれなりに面白いものではあった。

しかし、そこで10カ月勤務した後、退社する。何かもっとワクワクする仕事はないかと模索し、野澤はコンピュータの世界を選択。

コンピュータのハードウェア（機器）より、ソフトウェアの領域がこれから伸びていくのではないかという野澤青年の読みであった。

誰しも、人はいろいろなことで悩む。ましてや、青年期、自らの進路をどうするかと岐路に立った時はなおさらそうだ。

野澤はその時、どんな状況だったのか、いま一度振り返ってもらうと——。

「大学を卒業した時は、理工系であまり出来はよくないんですが、就職できる所に就職すればいいやということでした。通信建設会社の仕事も現場は楽しかったんですが、何かしら納得できない自分がいる。待てよ、もうちょっと可能性にチャレンジしたいと急にその時に思ったんです」

大学卒業期から就職して数カ月間、野澤本人の弁によると、「ボケッとした状態」だったが、同時に、このまま流される人生でいいのか、他に進むべき道はないのかと、「人生について考える良い機会になった」という。

このままでは流されるだけではないか、「自分で人生にチャレンジしていきたい」という思いが野澤青年の気持ちの中で沸々と湧いてきたのである。

自らの目標が持てるようになると、人はどう変わるのか？

## 目標を持つと、前へ前へと進む意欲が……

「目標を持つ前まで、嫌いなのをいいことに勉強しませんし、だから大学もすれすれで卒業しました。やる気がなく、興味がないんですものね。大体において電気の領域は嫌ですよ（笑）。時々ビリっと来ますしね。機械の方がまだわかりやすい」とユーモアを交えながら野澤は次のように続ける。

「電気工学より電子工学が専門ですから、エレクトロニクスそのものです。でも、電子計算機という計算のツールが付き物になっていました。高度な計算をするには計算機がないとできませんしね」

ということで、野澤が学生時代の時分、電子計算機が社会にも導入され始め、コンピュータに興味を抱くようになっていたのは事実。

そうした伏線があって、大学卒業後、一旦、通信建設会社に就職するものの、やはり自分の進路はコンピュータ領域と考え直したのである。

このとき、「自分の人生で初めて目標ができた」と野澤は述懐。そして、目標に向かって努力していく時に、「一つひとつ目標に近づいてくると喜びを感じますし、やり甲斐が感じられる。人生が変わってきます」と語る。
進路の選択に悩む若い世代の人たちも、この野澤の言葉に大いに啓発されるのではないだろうか。

## 人と人のつながりの中で

人と人のつながり。これも人生の選択にも大きく関わってくる。父親はモノづくりの世界に生き、職人肌の人で野澤の人生にも陰に陽に影響を与えてきた。

父・喜平は戦前、東京・世田谷区、戦後は東京・上野で電気製品の製造・販売を手掛けていた。その時代の最先端を行く技術に大変な関心を寄せる人であった。

父・喜平は戦前からラジオづくりも手掛けてきていた。昭和20年代末から30年代前半にかけて、日本にテレビ時代が到来した時も、テレビ受像機を自らつくり、お得意先に売ったりする才人でもあった。

「ラジオが文明の走りでしたからね。父親も当時、それに挑戦してきたわけです。通信機ですよね。受信機が発展したのがラジオですから。放送局が出来上がって、電波を発信して、その受信機をつくっていた。これがラジオです」

通信の世界の延長線上に放送がある。

「そうなんです。無線による放送ですね。それまでは有線で、いわゆる電話器がありましたが、放送局は一つの電波を出して大勢の人に娯楽の時間を楽しんでもらうという役目もあります。それからニュースを知らせるとか、今ご存知のごとく放送の使命がありますから。父はエンジニアとして、そういう放送の初期段階に端末をつくっていた」

技術は時代とともに進展・進化し、社会の有り様をガラリと変えていく力を持つ。

父・喜平の時代は真空管の時代であった。真空管は電子の流れを制御することで増幅、検波、発振、変調などの機能を持つ。

通信機やラジオの登場、さらにはテレビのブラウン管なども、この真空管の登場があって発達したもの。

真空管の機能はその後、トランジスタ、IC（集積回路）、さらにはLSI（大規模集積回路）と進化していく。そして小型化の技術開発がポータブルラジオやテレビ、ひいてはウォークマンなどの製品を生み、ソニーは一躍、世界のソニーとして成長、発展していったという経緯。

野澤は起業時、コンピュータの世界で生きることを選択し、「ソフトウェアの会社を起こす」と決断。父・喜平は、ハードの世界を望んだが、野澤は自分の意志を押し通した。

事業の選択では父と子で意見が分かれたが、〝モノづくり〟という点では同じ。その意味では、父・喜平の存在は大きかったと言えよう。

親から子へ、これも人のつながりの一つである。

## 決断、挑戦する上で大事なこと

人生には山谷があるし、その航路には紆余曲折がつきまとう。

野澤はコンピュータの会社に入りたいと、『プログラマー募集』との新聞広告を出している大手電機会社を訪ねた。しかし、人事担当者からは、「経験者でないと駄目」と断られた。

経験をつけるには、徹底した技術習得が大事だと専門学校に入ることにした。

そこで、東京・蒲田にある日本電子工学院（現・日本工学院専門学校＝学校法人片柳学園）を訪ねた。時期は6月のことで、「入学はもう締め切った」という返事。

ところが、応対してくれた担当者が大学の先輩で、「今、講師不足なんだ。お前も講師をやってみたらどうだ」と誘われた。

学生として入学しようと思ったら、「教える側に回れ」という話。野澤も面食らったが、そこは即座に頭を切り替えてOKした。「今なら、それなりの深い経験と知識がないとできない相談でしょうが、コンピュータの世界が始まって間もなく、どこも人手不足でしたからね」と野澤も笑いながら、当時を振り返る。

その代わり、講師になった野澤は朝から晩まで猛勉強した。「とにかく大変。教えなければいけないですからね。あんなに真剣になったのは、我が人生において初めてのことでした」

野澤は、「1を教えるには、10くらい知っていないと駄目なんだなというのが、講師稼業でよくわかりました。10を勉強するというのは大変なんです」と笑みを浮かべながら語る。

もし、この時、専門学校に先輩がいなかったら、野澤の人生はどうなっていたのだろうか？もし講師生活がうまくいかなかったら、3年後に起業する際、教え子の2人も入社してくれなかったという可能性もある。こういうことを考えると、人生の選択には、まさに『天の時、地の利、人の和』があるように思う。

先輩は大学時代のバンドで一緒に活動した間柄。野澤はベースを弾き、あちこちの音楽会で行動を共にしてきていた。

そして、野澤の夜間の授業に出席していたのは大企業のシステム担当の部課長たちであった。授業が終わると、「先生、一杯やりましょう」と誘ってくれ、いろいろと話し込んだ。このことが産業動向や各企業の雇用動向を知ることにもなり、それから野澤が企業経営者として歩く時の素地となった。

創業から50年余。人は自ら育つとして、多くの仕事の場、修練の場を与えてきた野澤は後事を託そうとする今、次のようなメッセージを発信する。

「会社を発展、成長させながら、若い人にもポストを与える。そして成長させるためには新しい事業分野を開拓していかないといけない。チャレンジが大事。それも単に冒険しているだけでは駄目。安全を確保しながらよじ登っていかなければならない」――。『変化の時を生き抜く』ための要諦である。

# 成長なくして発展なし。次の50年も成長を糧として
## 富士ソフト創業者　野澤　宏

### 若い人が伸びるためにも成長は必要

**――創業から50年が経ち、富士ソフトは独立系のソフトウェア会社として最大手のポジションに就きました。これからの50年を考え、富士ソフトを支える人たちにどんなことを期待しますか。**

**野澤**　わたしは資産ゼロからスタートして、50年間でこういう形の会社にして後事を託すわけですが、わたしとしては安心して託せるようになったのかなと思っています。

全て100点というわけではないですが、合格点はやれる。やっとそうなってきたかなという感じですね。

ただ、刺激が必要かなと思って時々、刺激を与えながらという気持ちです。例えば売り上げで2桁成長を目指すのは、社会に対しても、社員に対しても、またお客様に対しても、経営者の責任と

して考えてもらいたい。

発展、成長がない企業は存在意義がないと見られても仕方がない。今、世の中は経済が停滞していますが、その中にあって伸びる世界と伸びない世界があるわけですから、我々は絶えず伸びる世界を探し求めて、そこで成長を続けていかないといけないということを託しています。

新しい経営陣には、売り上げが少なくとも10％成長、2桁成長はやってくれよと。利益も10％が難しいのであれば、5％は歯を食いしばってもやってくれよと、こういう思いがあります。

**――企業経営にとって、成長が何より大事だと。**

**野澤**　正しい成長があれば、各ステークホルダー、社員もお客様も株主さんも皆さん幸せになることができます。経営者の最大の務めはそこにある。正しい発展です。新しいことを追求するというのも成長を促す一つの要因になります。

**――会社が成長することで、人も成長する。**

**野澤**　人が成長しても、会社が成長しないと、ポストがないですからね。平均寿命が80歳以上となり、さらに伸びようとする時代。新入社員が70歳までいたとしても、会社がその間に成長し膨らんでいかないと不都合なことになります。

30歳で課長になったとしても、上がつかえていたら、成長しない企業では、昇進できなくなってしまいます。

そういう意味でも、回転させることが大事。回転というのは、規則で回転させるのではなくて、発展させながら。若い人にもポストを与える。成長するということは、社内の活性化ですよね。お客様も成長する企業の方が安心して任せられます。衰退していくと、明日潰れるんじゃないかと不安になりますからね。

成長すると、社員も安心できるし、株主さんもそういう会社に投資したい。全てのステークホルダーに対して、幸せを与える経営をして欲しい。

**――野澤会長は常にチャレンジで、新しい事業をどんどん開拓してきましたね。この新規事業への挑戦については、どのようなスタンスで臨むべきなのか。**

**野澤**　企業を成長させるためには、新しい事業をどんどん取り込んでいかないといけません。新しい事業分野を開拓していかないと成長できません。時には失敗もあろうかと思うんです。

**――ロボット関連、医薬領域にも進出しました。**

**野澤**　医薬領域も、たまたまそういう人材がいて、手掛けるためにふさわしい組織をつくって、将来性のある事業に展開できるというめどが出てきました。常にチャレンジです。

**――創業期の時点では、医薬というのは縁のない領域でしたね。**

**野澤**　はい、基本的にはコンピュータはどの事業分野でも必要な道具です。コンピュータがベースであれば、あとは知識も、昔と違って流動性が高いです。老舗にあぐらをかいている方が怖いし、挑戦が大事です。

**——自分の専門分野だと固執しきっていると、置いてきぼりを食うということですね。**

**野澤**　うかうかして、専門の上に頼りきっている会社の方が怖いです。チャレンジして、安全を確保しながら、目標へ向かってよじ登っていかなければいけない。ただ冒険しているだけではもちろん駄目です。

**——そのことは、人を育てるということにもつながる。人は自ら育つというのが野澤さんの人間観であり、人生育成論ですね。**

**野澤**　そういう成長する場を提供して、会社が膨らんでいく。そうやって自然と自分の部下も伸び、成長していくのだと思います。

部下が成長すると、自分の立場もよくなる。後輩がどんどん入ってくるから、先輩面したいものですよね（笑）。先輩面したいということは、馬鹿にされたくない。自分も伸びていかないと、あの先輩は何をやっているんだろうと。新人も年々優秀になってきてますからね。それが社員にとっても、すごい刺激になります。成長は企業にとっても、人の可能性を掘り起こしていく最大要因であり、必要なものなのです。

**——コンピュータの世界も、最後は人なんだと。そういう感じがします。**

**野澤**　やっぱり、人ですよ。経営をやるのも人ですし、何事も人です。その強さと能力の高さが大事です。

高学歴で世間的にいい学校を出ていれば能力が高いということではありません。実務的に、ビジネス的に能力が高くて、部下の信頼もあって、お客様の信頼も高い。そういう人が組織にとっても大事だということです。

当社は、入社してしまうと学歴は全然関係ないんです。話題にもならない。学閥ができる会社も少なくないと思いますが、当社では全く問題にしません。

**――若い人へのメッセージとしてうかがいますが、野澤会長が1966年に大学を卒業して、一旦就職した会社を10カ月で辞め、起業への道を選んだわけですが、改めて、その時の心境を聞かせてくれませんか。**

**野澤**　一旦職を決めたら、転職すると不利になる時代でした。ですが、コンピュータの世界は転職が多いですから。普通のビジネスをやっている企業とか役所系は年功序列がガチっとしていますが、コンピュータの世界は流動性が高いということです。コンピュータの領域、システムづくりの世界は挑戦のし甲斐があるということです。

## 若い人へ望むこと

**――今、令和の時代を迎え、西暦でいうと2020年代に入って、若い人の間で起業したいという人が増えてきましたね。**

**野澤**　多いと思います。昔ほど大会社に対する期待や執着というのは、今の若い人にはないんじゃないでしょうか。それよりも小さい会社でいいから、自分で技術を身に付けてという人も結構出てきていると思います。わたしはどちらかというと、当時から後者の方でした。

まずは食い扶持になる技術、自分の売り物になる技術を身に付けたいというところから出発しましたからね。

何より大事なことは、自分の目標をしっかり持つこと。その目標へ向かって努力していく。わたしもこの50年を振り返ると、長いといえば長いですが、いい区切りになりました。それを会長として全うできるというのは本当に幸せな人生だったと感じております。

野澤宏・富士ソフト創業者

著者紹介

**村田博文** *MURATA Hirofumi*

1947年2月宮崎県生まれ。70年早稲田大学第一文学部卒業後、産経新聞社入社。77年財界研究所移籍、88年『財界』編集長、91年取締役編集長、92年6月常務取締役編集長、同年9月代表取締役社長兼主幹。近著に『小長啓一の「フロンティアに挑戦」』(財界研究所)、『エア・ウォーター名誉会長豊田昌洋の「人をつくり、事業をつくる！」』(同)、『重久吉弘の「エンジニアリング一筋に」』(同)がある。



**富士ソフト創業者・野澤宏の**
**変化の時を生き抜く**

2021年5月15日　初版第1刷発行

著者　村田博文
発行者　村田博文
発行所　株式会社財界研究所
〒100-0014
東京都千代田区永田町2-14-3東急不動産赤坂ビル11階
電話：03-3581-6771
ファックス：03-3581-6777
URL：https://www.zaikai.jp/

印刷・製本　日経印刷株式会社
装幀　相馬敬徳（Rafters）




ISBN978-4-87932-145-9
定価はカバーに印刷してあります。